Susanne Scholl
Emma schweigt

Susanne Scholl

Emma schweigt

Residenz Verlag

Bibliografische Information der Deutschen Nationalbibliothek
Die Deutsche Nationalbibliothek verzeichnet diese Publikation
in der Deutschen Nationalbibliografie; detaillierte bibliografische
Daten sind im Internet über http://dnb.dnb.de abrufbar.

www.residenzverlag.at

3. Auflage 2014

© 2014 Residenz Verlag
im Niederösterreichischen Pressehaus
Druck- und Verlagsgesellschaft mbH
St. Pölten – Salzburg – Wien

Umschlaggestaltung: BoutiqueBrutal.com
Umschlagbild: © Peter Rauchecker
Leihgabe Garderobe: www.wundertuete.at
Grafische Gestaltung/Satz: BoutiqueBrutal.com
Lektorat: Jessica Beer
Gesamtherstellung: CPI Moravia Books

ISBN 978 3 7017 1623 4

*Für meine tschetschenischen
Freundinnen, die nie aufgeben*

Stille

Es ist so still, denkt Emma und schaltet die Nachttischlampe ein. Sie hat Herzklopfen. Das kennt sie schon, das kommt manchmal vor. Der Arzt hat gesagt, das ist nicht schlimm, das sind nur die Nerven. Aber eigentlich ist sie doch ganz ruhig. Hat sie was geträumt? Sie kann sich an nichts erinnern. Aber irgendwie ist es zu still. Es ist ja auch drei Uhr früh. Da fährt der Autobus nur selten und Autos sind auch keine unterwegs. Zum Glück. Und die besoffenen Jugendlichen, die so gern laut grölen in der Nacht, scheinen heute auch zu Hause geblieben zu sein. Oder vielleicht doch nicht? Wahrscheinlich haben die sie mit ihrer Pöbelei aufgeweckt und sie hat's nur nicht gleich bemerkt. Jedenfalls ist es jetzt still. Sie hört Mitzi im Wohnzimmer schnarchen. Wahrscheinlich liegt sie wieder auf dem Lehnsessel mit der weißen Decke, auf dem sie nicht liegen soll. Sicher sogar. Das Vieh ist einfach unerziehbar.

Natürlich, hat ja auch Georg mit nach Hause gebracht. Damals, kurz vor Hansis 40er. Ein Geschenk für die Mama, hat Georg gesagt und die Schachtel aufgemacht. Und drin saß Mitzi – ganz schwarz. Und ziemlich klein. Herzig war sie ja schon, aber eigentlich wollte Emma nie ein Haustier haben. Macht nur Arbeit und man ist angebunden, hat sie immer gesagt. Solange Hansi klein war und sie noch gearbeitet hat beim Notar Wiesel, hätte Georg sich nie erlaubt, ein Vieh nach Hause zu bringen. Aber kurz vor Hansis 40er hat sie ja schon nur mehr halbtags gearbeitet – und der Wiesel hatte schon so Andeutungen gemacht, dass sie doch eigentlich langsam ans Aufhören denken könnte. Dass sie doch noch das Leben genießen sollte mit ihrem lieben Georg. Und kurz danach hat der liebe Georg die Mitzi mitgebracht – für die Mama, hat er gesagt. Wie sie das gehasst hat, wenn Georg sie Mama genannt hat. Als ob sie seine Mutter wäre und nicht seine Frau. Sie hat es gehasst, aber Georg hat sich nicht davon abbringen lassen. Bald danach ist er gegangen, der Georg, den sie unbedingt hat haben müssen damals, als sie jung war und eigentlich nicht wusste, was sie aus ihrem Leben machen sollte, und ihre Freundinnen so geschwärmt haben von diesem Pierringer, der Student war und im Sommer Badewaschel im Stadionbad. Fesch war er damals schon, der Georg. Braun gebrannt und mit Muskeln an den richtigen Stellen. Und sie war stolz, weil er sie beachtet hat. Ja – und dann war sie plötzlich schwanger und der Georg ein kleiner Ingenieur. Die Muskeln sind verschwunden und haben einem kleinen, soliden Bierbauch Platz gemacht, und das Geld, das er nach Hause gebracht hat, war zu wenig, um den Hansi studieren zu lassen, also hat sie sich den Job beim Notar Wiesel gesucht. Jeden Tag hat sie sich schikanieren lassen von ihm und den anderen im Büro, die alle studiert hatten – nur sie nicht, weil Hansi kam, bevor sie mit der Schule fertig war, und die Eltern meinten, Mutter sei auch ein Beruf. Zum Glück hat Georg ihr wenigstens einen Maschinschreib- und Stenografie-Kurs gezahlt, quasi als Hochzeitsgeschenk. Das hat geholfen, sogar, als der Notar Computer angeschafft hat und sie umlernen musste. Eigentlich war es ganz nett beim Notar Wiesel. Vor allem später, als sie älter wurde und sich nicht mehr über die spitzen Bemerkungen der Kollegen geärgert hat, wenn sie wieder einmal einen Akt verlegt oder einen Namen falsch geschrieben hatte. Immerhin wusste sie da schon so viel über alle, dass die ihr nicht mehr gefährlich werden konnten. Irgendwann war sie so etwas wie das Herz des Büros geworden – kein besonders weiches Herz, das wusste sie. Aber am Ende hat sie zum Inventar gehört – und man ließ sie in Frieden. Und mit Georg hatte sie sich auch abgefunden, mit einem Georg, der sie Mama nannte und gar nicht mehr so fesch war und ihr eigentlich auch schon langweilig geworden war. Aber nie im Leben hätte sie sich vorstellen können, ihn zu verlassen. Das tut man nicht, fand Emma. Er war ja auch nicht schlecht zu ihr – er behandelte sie eben immer öfter als Mama und immer seltener so wie damals in jenem Sommer im Stadionbad, wo er ihr verliebte Blicke zugeworfen und kleine Zettel in ihrem Kästchen hinterlassen hatte. Sie hat sich jedenfalls mit ihm abgefunden gehabt, mit ihm und seinem Bierbauch. Und dann ist er plötzlich gegangen. Hat sie verlassen. Unglaublich eigentlich, hat sie gedacht. Da hat sie schon das Schreiben wegen ihrem vorzeitigen Pensionsantritt auf dem Tisch liegen gehabt, der Hansi hatte ihr gerade eröffnet, dass er sich jetzt von Gisela scheiden lässt, und Georg hat gemeint, er brauche neue Herausforderungen.

Die neuen Herausforderungen haben zuerst sehr kurz Sabine und dann Judith geheißen und waren gut 20 Jahre jünger als Emma. Judith ist dann eine ziemlich hartnäckige Herausforderung geworden – Georg hat sich scheiden lassen und sie geheiratet. Hat ihm auch nichts geholfen, kurz nach der Hochzeit hat er einen Schlaganfall gehabt – und die Herausforderung hat ihn ins Pflegeheim gegeben und genießt jetzt ihr junges Leben mit einem Anton, der zehn Jahre jünger ist als sie. Und Emma darf Georg im Pflegeheim besuchen und trösten. Macht sie auch, ist ja irgendwie selbstverständlich, schließlich ist er ja der Vater ihres Sohnes. Obwohl – verzeihen wird sie ihm nie, bis ans Ende nicht. Und eigentlich gönnt sie ihm, was ihm da passiert ist …

Jedenfalls war sie plötzlich allein. Nur mit Mitzi, die sich nicht erziehen lassen wollte und immer auf der weißen Decke gelegen ist, so oft Emma sie auch wegzujagen versucht hat.

Dass das mit Gisela nicht lange gut gehen würde, hat Emma übrigens gleich gewusst. Schon als Hansi sie ihr das erste Mal vorgestellt hat. Da hatte ihn Luise gerade verlassen. Wegen eines Italieners ist sie mit Sack und Pack und Luzie nach Turin gezogen. Luzie. So ein blöder Name für so ein süßes Mädel. Jetzt ist sie ein junges Mädchen, ein Girlie, sagt Hansi immer und lacht so blöd, als ob das was Gutes wäre. Nichts kann man mehr anfangen mit der Luzie. Sie wohnt jetzt mit Luise und dem Neuen in Turin, und wenn sie nach Wien kommt, besucht sie Emma auch nur unter Zwang. Weil ihr langweilig ist mit dieser Oma, die dauernd was auszusetzen hat an allem und jedem – sagt sie. Dabei hat Emma nur gesagt, dass Luzie ruhig öfter nach Wien kommen könnte – und dass sie die tiefen Blusenausschnitte irgendwie ordinär findet und die viel zu engen Hosen und die viel zu kurzen Röcke. Sind sie ja auch – aber Luzie ist so ein verwöhnter Fratz, nichts darf man sagen, gleich ist sie beleidigt, verdreht die Augen und sagt, dass Luigis Mutter nie solche Sachen sagt. Auch eine Kombination. Luise hat sich ausgerechnet einen Luigi gesucht, wo sie eh schon eine Tochter namens Luzie hat. Obwohl Emma schon ziemlich gelacht hat, als Hansi ihr das erzählt hat. Aber natürlich erst, als Hansi schon gegangen war – gekichert hat sie, um genau zu sein, richtig gekichert. Eigentlich ist Luzie ja ganz hübsch – aber so italienisch ist sie geworden, seit sie mit ihrer Mutter nach Turin gezogen ist. Redet mit den Händen und schmeißt die Haare, wie diese halbseidenen Mädeln im italienischen Fernsehen. Das schaut Emma jetzt manchmal an, auch wenn sie nicht versteht, was die reden, weil doch Luzie dort lebt und Emma wissen will, wie es dort so ist. Besucht hat sie ihre Enkelin nie in Turin, obwohl Luise sie eingeladen hat und Luigi sogar etwas auf Italienisch auf den Einladungsbrief dazugeschrieben hat. Luise hat es ihr übersetzt: dass er sich freuen würde, wenn Emma sie besuchen käme, aber Emma hat gefunden, dass das nicht geht. Sie kann Luise und ihren Luigi doch nicht besuchen fahren, wo Luise doch den Hansi verlassen hat. Der hat sich zwar so schnell getröstet mit der Gisela, so schnell hat sie nicht einmal schauen können, aber trotzdem war das nicht schön, vor allem weil sie Luzie einfach mitgenommen hat. Weg aus Wien, weg vom Hansi, weg von Emma. Hansi hat zwar gesagt, er hat sich das alles mit Luise ausgemacht und er sieht Luzie oft genug, aber Emma fährt trotzdem nicht nach Turin. Fremd würde sie sich fühlen, weil sie die Sprache nicht kann und ja eigentlich bei dieser neuen Familie auch nichts verloren hat.

Luzie geht dem Hansi natürlich ab, das weiß Emma. Manchmal hat er es sogar laut und vor Gisela zugegeben, die dann gleich einen ganz schmalen Mund gemacht hat. So einen verbissenen. Eifersüchtig wird sie sein, hat Emma gedacht und das Hansi auch gesagt. Gisela hat sich mit Luzie nämlich überhaupt nicht vertragen, das hat man gemerkt, wenn die Luzie zu Weihnachten oder Ostern auf Besuch da war. Kaum dass sie mit ihr geredet hat, dafür ist sie dem Hansi dauernd um den Hals gefallen – und Emma hat das genau beobachtet – das hat Gisela nur gemacht, wenn Luzie da war. Sonst war sie gar nicht so anhänglich und zärtlich. Jo hat sie den Hansi genannt, Jo von Johannes, hat sie Emma erklärt, als die sich gewundert hat über den neuen Namen. Hansi sei ein Name für kleine Kinder, hat Gisela noch spitz erklärt, ihr Mann heiße Jo. Emma hat trotzdem weiter Hansi gesagt. Eigentlich war er damals gar nicht nett zu ihr. Er hat sich Emmas Bemerkungen über Giselas Eifersucht sogar ausdrücklich verbeten und gesagt, sie solle sich mit ihrer Küchenpsychologie da nicht einmischen. Und ihr den Mund verboten. Das war schon kränkend, auch wenn er sich am nächsten Sonntag entschuldigt hat, beim Mittagessen im Jägerhaus im Prater. Dorthin führt er sie ein paar Mal im Jahr aus, ihr Herr Sohn, zum Geburtstag und zum Muttertag und wenn er sich für etwas entschuldigen will. Jedenfalls hat

Emma dann nur noch über Gisela geredet, wenn sie mit Luzie allein war. Luzie hat Gisela auch nicht gemocht und dafür Luigi immer in den höchsten Tönen gelobt. Vor allem, als er ihr zum 16. Geburtstag eine Vespa geschenkt hat – was das ist, hat Luzie Emma erst erklären müssen. Sie hat die Oma ziemlich ausgelacht, weil die zuerst nicht gewusst hat, dass eine Vespa ein Moped ist und dann, weil sie ganz blass geworden ist bei dem Gedanken, dass ihre Luzie da mitten in Italien mit einem Moped zwischen den Autos herumfährt. Richtig schlecht ist ihr bei dem Gedanken geworden, aber da hat Luzie noch mehr gelacht und gesagt, dass sie einen Helm trägt und dass alle ihre Schulfreundinnen auch eine Vespa haben und dass das das schnellste Fortbewegungsmittel in Turin sei und dass Emma eben auf Besuch kommen soll, damit sie sieht, dass da gar nichts dabei ist. Aber nachdem Luzie von der Vespa erzählt hat, hat Emma erst recht beschlossen, dass sie auf keinen Fall nach Turin fahren wird, weil sie nicht auch noch mitansehen will, wie Luzie auf diesem klapprigen Gestell im Verkehr herumsaust.

Hansi war das mit der Vespa auch nicht recht, das hat Emma genau gesehen. Ganz kleine Augen hat er gemacht, wie Luzie das zu Ostern erzählt hat. Sie waren wieder mal im Jägerhaus und Luzie hat plötzlich gesagt, jetzt wäre es toll, mit der Vespa die Hauptallee rauf und runter zu brausen. So haben Hansi und Emma erfahren, dass Luzie ein Moped hat. Und Hansi hätte sicher einen Krach gemacht, wenn er da nicht gerade Gisela verlassen hätte, was er genau an diesem Sonntag im Jägerhaus Luzie und Emma mitgeteilt hat. Der Feigling hat sich gedacht, es ist leichter, wenn er es ihnen gleichzeitig sagt, dann muss er sich nicht zweimal dieselben Szenen anhören, sondern erledigt das in einem Aufwaschen. Warum er sich so angestellt hat, haben weder Emma noch Luzie verstanden – die konnten

Gisela ohnehin nicht leiden. Luzie störte vor allem der Name, Emma die verkniffenen Lippen und dass Gisela jedes Mal nach fünf Minuten angerufen hat, wenn Hansi seine Mutter einmal allein besucht hat. Um mit Mitzi zu spielen, hat er immer gesagt und dabei gelacht, aber eigentlich ist er ja vor allem wegen Emmas Schweinsbraten mit Semmelknödeln gekommen, die sie ihm immer gemacht hat, wenn er sich angekündigt hat. Gisela wiederum war eine Gesundheitsfanatikerin und hat dauernd gejammert, dass Hansi zu dick wird, und ihm nur Salat und Vollkornzeug zu essen erlaubt. Nicht, dass Hansi da wirklich mitgemacht hätte, der ist manchmal nach dem Abendessen noch heimlich zum Würstelstand um die Ecke spaziert und hat sich eine Käsekrainer gegönnt. Das hat er Emma gestanden, weil die sich einmal laut darüber gewundert hat, dass er nicht abnimmt, trotz der strengen Gisela-Diät. Na und die Schaumrollen … Die hat er immer selbst mitgebracht, wenn er Emma besuchen gekommen ist. Ein Geschenk für die Mama, hat er gesagt, aber aufgegessen hat er sie dann immer alle selbst. Schaumrollen im Sommer und Faschingskrapfen im Winter. Emma hat das gefreut. Es war ein schönes Gefühl, eine Heimlichkeit mit ihrem Sohn zu haben, vor allem jetzt, wo Georg bei seinen Herausforderungen war, und sie mit Mitzi allein gelassen hatte. Und der Notar Wiesel sie in die Pension expediert hat, obwohl sie das gar nicht wollte, weil sie Angst hatte, dass ihr die Decke auf den Kopf fallen wird. Aber dann war's gar nicht so schlimm. Kurz nachdem die Herausforderung Nummer zwei den kranken Georg ins Pflegeheim abgeschoben hatte, hat sie sich vom Notar Wiesel und den anderen verabschiedet. Und festgestellt, dass man auch ohne Notar ganz gut leben konnte. Zwei Mal in der Woche ist sie ins Pflegeheim zum Georg gefahren. Gesagt hat sie natürlich nichts, aber er hat schon verstanden, was sie von der ganzen Sache denkt. Ich weiß schon, hat er sogar einmal gesagt – also eher gestammelt, weil er nach dem Schlaganfall nicht mehr so gut reden konnte –, ich weiß schon, du denkst dir, das geschieht mir recht. Aber ein bisserl lieb hast du mich ja doch noch, und ich freu mich so, dass du mich immer besuchen kommst …

Ob sie ihn wirklich noch lieb hat, weiß Emma nicht so genau, aber sie fühlt sich gut, wenn sie ihn besuchen geht – weil er sie jetzt so braucht.

Nachdem sie also an dem Sonntag im Jägerhaus lang und breit über Luzies Vespa diskutiert haben, hat Hansi ganz nebenbei gesagt, er lässt sich scheiden. Luzie hat große Augen gemacht und dann ganz unverschämt gesagt: »War ja auch Zeit!« Emma hat geschluckt. Wo er denn jetzt wohnen werde, hat sie Hansi gefragt, und der hat so herumgedruckst. Und weil er Luzie zum Flughafen bringen musste, damit sie nach Turin zurückfliegen kann, war dann keine Zeit mehr, um länger darüber zu reden. Emma hätte Hansi gerne angeboten, wieder zu ihr nach Hause zu kommen, aber dazu ist sie nicht mehr gekommen. Dann hat sie eine Woche lang nichts vom Hansi gehört, aber plötzlich hat er angerufen und gesagt, er kommt zu Besuch. Und Emma hat sich hingestellt und Schweinsbraten und Rotkraut und Semmelknödel gemacht, obwohl es schon Mai und ziemlich warm war. Aber das war eben Hansis Lieblingsessen und er war doch arm, weil er schon wieder geschieden war. Und dann steht Hansi bei ihr im Vorzimmer und hinter ihm steht schon wieder eine neue Frau.

Hübsch war sie ja, das muss Emma zugeben. Schlank und mit großen dunklen Augen und glänzendem, kurzem, schwarzem Haar – wie Stacheln hat es ausgeschaut, und Emma hat zuerst gedacht, der Hansi hat zufällig eine Freundin von Luzie auf der Straße getroffen und mitgebracht. So jung hat sie ausgesehen. Und dann hat Hansi gesagt: Mama, das ist Emine, meine ganz große Liebe. Eminé hat er gesagt – mit Betonung auf dem letzten e –, als ob es zwei oder drei e wären.

Emma hat nicht gewusst, was sie sagen soll. Erstens war der Name kein Name, zumindest keiner, den sie schon jemals gehört hat. Und zu fragen traute sie sich auch nicht. Also hat sie dem Mädel einfach die Hand gegeben und ist dann in die Küche gegangen. Und dann sind sie um den Tisch gesessen und diese Emine hat ganz freundlich gesagt, dass sie kein Schwein isst. Und so was hat Hansi mit nach Hause gebracht. Das Rotkraut und die Semmelknödel hat sie schon gegessen und sogar gelobt. Aber kein Stück Fleisch. Hansi hat derweil gefuttert, als ob er seit Wochen nichts gegessen hätte, und Emma hat sich gedacht, jetzt ist er gerade erst Gisela mit ihrem Salat und ihrem Vollkornzeugs losgeworden und jetzt bringt er eine mit, die kein Fleisch isst. Na, das kann wieder was werden! Die Schaumrollen, die Hansi mitgebracht hat, haben Emine aber auch ganz gut geschmeckt, die haben die zwei sich brüderlich geteilt. Und dann hat Emine Emma erzählt, dass ihre Eltern aus der Türkei sind, dass sie aber schon in Wien geboren ist und dass sie gerade mit dem Architekturstudium fertig geworden ist und sich selbst eine Wohnung einrichtet – und der Hansi und noch ein paar Freunde helfen ihr dabei. Und wenn die Wohnung nach ihren Plänen fertig sein wird, wird sie Emma zu einem richtig guten türkischen Essen einladen. Hat Emine gesagt – und Emma hat so getan, als ob sie sich sehr freut. Überhaupt hat diese Emine ganz schön viel geredet – ohne Hansi die Hand zu halten, wie das Gisela immer getan hat. Und sie hat ihn auch nicht Jo genannt, sondern Hans, und das war für Emma ganz in Ordnung. Aber ausgerechnet eine Türkin, hat Emma gedacht, als sie sich an dem Abend vor den Fernseher gesetzt und ihre Kreuzstich-Stickerei hervorgeholt hat.

Das Kreuzstich-Sticken hat sie begonnen, nachdem sie dem Notar Wiesel und den anderen Auf Wiedersehen gesagt hatte. Weil die zwei Besuche pro Woche beim Georg im Pflegeheim nicht wirklich ihr Leben ausfüllen und sie zwar gern fernsieht, aber dabei auch was anderes zu tun haben möchte. Sie hat für Luise und Luzie und Gisela Handtücher und Tischtücher bestickt und sich bisher nicht getraut, Hansi auch eins zu schenken. Jetzt war sie gerade bei einem Polsterüberzug, den Gisela zum Geburtstag hätte kriegen sollen. Aber den muss sie ja jetzt nicht mehr feiern, wo die zwei sich scheiden lassen, hat Emma gedacht und überlegt, wem sie den Polster sonst noch schenken könnte. Vielleicht der Nachbarin aus dem zweiten Stock, der mit dem Dackel, die sie immer so nett grüßt und nach Georg fragt.

Und für Emine wird sie ein Geschirrtuch sticken, dann hat sie ein Geschenk, für die Einladung, hat Emma an dem Abend gedacht, nachdem die beiden gegangen waren und sie vor dem Fernseher gesessen ist. Aber ausgerechnet eine Türkin ... Kopftuch trägt sie zwar keines, aber trotzdem. Und wer weiß, wie die Eltern sind. Warum der Hansi sich aber auch immer die falschen Frauen aussuchen muss, hat Emma gedacht und in dem Moment hat das Telefon geläutet. Gisela. Emma war sprachlos. Es war das erste Mal, dass ihre zweite Schwiegertochter sie angerufen hat. Wie es ihr gehe, hat Gisela gefragt, und Emma hat etwas gestottert, weil sie wirklich überrascht war. Und dann hat Gisela plötzlich zu weinen begonnen und auf »diesen Schlampen« zu schimpfen, der ihr ihren Jo weggenommen hat. Und so hat Emma die ganze Geschichte erfahren: Ein Freund von Hansi ist nämlich auch Türke. Komisch, hat Emma gedacht, während sie Gisela zugehört hat, von diesem Mustafa hat Hansi nie was erzählt. Na gut, sonst hat er auch nicht viel erzählt von seinen anderen Freunden. Ein Kümmeltürk halt, hat Gisela gehässig gesagt. Und dieser

Mustafa hat eine Schwester – auch eine Kümmeltürkin, hat Gisela noch gehässiger gesagt. Und eines schönen Tages hat die Kümmelschwester dem Kümmelbruder erzählt, dass ihre beste Freundin gerade eine neue Wohnung kriegt und Hilfe braucht, und da ist doch ihr netter Jo glatt mit dem Mustafa, zu der Freundin gefahren, um zu helfen. Und so hat das Elend angefangen, hat Gisela gesagt. Und Emma hat zugehört und manchmal freundlich in den Hörer geschnauft, weil sie nicht wusste, was sie sagen sollte. Und dann, hat Gisela gesagt und aufgeschluchzt, nach ein paar Monaten hat sie ihren Jo zufällig gesehen. Am Brunnenmarkt. Händchen hat er gehalten mit so einer Kümmeltürkin mit Stachelfrisur direkt vor einem Kebabstand. So einem, wo Gisela einen Riesenbogen darum macht, weil das nur fett und ungesund ist, was man dort kaufen kann. Sie ist immer nur auf den Brunnenmarkt gegangen, um Obst zu kaufen. Und plötzlich sieht sie ihren Jo dort mit einer anderen. Ganz schlecht ist ihr geworden und an dem Abend hat sie ihm gesagt, dass sie ihn gesehen hat, und er hat gesagt, dass er ohnehin mit ihr reden wollte, weil er sich leider ganz unglaublich verliebt hat und deshalb nicht mehr mit ihr, Gisela, leben will. Und dann ist Luzie gekommen und eine Woche lang haben sie so getan, als wäre nichts passiert, und Gisela hat nicht mehr essen können und sich Schlafmittel aus der Apotheke geholt, so schlecht hat sie sich gefühlt und an dem Abend, als Luzie zurückgeflogen ist, ist ihr Jo nicht nach Hause gekommen. Und am nächsten Tag hat er zwei Koffer gepackt und gesagt, Gisela könnte die Wohnung und alles, was drin ist, behalten – nur nicht seine ABBA-Platten. Die gibt sie ihm jetzt aber extra nicht. Soll er sich doch das Gedudel bei seiner Kümmeltürkin anhören. Da hat Emma das erste Mal auch etwas gesagt – dass Gisela ihrem Hansi doch bitte die ABBA-Platten geben soll, wo er die doch immer wie seinen Augapfel gehütet hat. Extra nicht, hat Gisela ins Telefon geschrien und hysterisch zu lachen begonnen – und Emma hat ihr daraufhin ganz höflich Gute Nacht gewünscht und aufgelegt.

Sehr still ist es in der Wohnung, denkt Emma wieder. Mitzi schnarcht auch nicht mehr. Sehr still. Sie ist ja froh, dass sie jetzt Ruhe hat. Kein Lärm, keine Aufregungen. Aber gar so still müsste es doch nicht sein. Nicht einmal der Eiskasten rührt sich. Der alte hat gerumpelt und geschnauft, als würde er gleich seinen Geist aufgeben. Sie hat den Hansi wochenlang gebeten, mit ihr einen neuen kaufen zu fahren, aber der hat immer was anderes zu tun gehabt. Und nach dem Abendessen bei Emine war er so böse auf sie, dass er zwei Wochen gar nicht mit ihr geredet hat. Später hat er sich zum Glück wieder beruhigt. Und jetzt steht dieses komische, metallisch glänzende Monster in ihrer Küche und macht keinen Mucks mehr – was zwar beruhigend ist, aber das Gerumpel und Geschnaufe von ihrem alten weißen Eiskasten geht ihr schon ab.

Das Abendessen bei Emine war leider ein Reinfall. Dabei hat sich Emma wirklich Mühe gegeben. Sie hat für Emine ein Geschirrtuch gestickt – blaue Blümchen und einen roten Rand. Richtig hübsch. Und hat's schön mit einem roten Band eingepackt. Sie war richtig stolz auf ihr Geschenk.

Die Wohnung war nett – obwohl sich Emma schon gefragt hat, wozu Emine 200 Quadratmeter braucht. Gut, Hansi wohnt jetzt auch dort, aber sie haben mit Georg und Hansi in 90 Quadratmetern auch ganz gut Platz gehabt.

Emine hat ein riesiges Wohn-Ess-Koch-Arbeitszimmer, in dem ein ziemliches Durcheinander geherrscht hat. Überall sind Zeitungen und Zeitschriften herumgelegen, dazwischen Blumenvasen und irgendwelcher Kleinkram. Auf mindestens drei Sofas waren richtig türkische Teppiche und am Steinboden natürlich auch.

Der Abend hat schon irgendwie falsch begonnen. Emma hat Emine gefragt, wozu sie so eine große Wohnung braucht und ob das nicht furchtbar viel Geld kostet, die zu heizen. Aus dem Augenwinkel hat sie bemerkt, wie Hansi die Augen verdreht, aber Emine hat nur gelacht und gesagt, sie hat eine große Familie und die kommt gern zu Besuch und da muss eben genug Platz sein.

Dann haben sie sich zu Tisch gesetzt und Emine hat lauter kleine Schalen mit Gemüse in verschiedenen Saucen gebracht. Emma hat brav alles gekostet, aber geschmeckt hat es ihr nicht. War alles viel zu scharf, hat sie gefunden. Und dann ist Emine mit einem großen Teller mit Fleisch und Reis dahergekommen. Also isst sie ja doch Fleisch, hat Emma gedacht und sich ziemlich geärgert. Das ist Lamm, hat Emine ganz freundlich gesagt, wir essen kein Schwein, aber Lamm und Rind schon. Das Lamm hat Emma auch nicht geschmeckt, aber sie hat brav ihr Stück hinuntergewürgt, weil Hansi schon ganz zornig geschaut hat. Und dann hat Emine Kaffee gebracht und so klebriges Zeug, Teig in Honig mit Nüssen – klebrig eben. Und Emma hat gesagt, dass sie das leider nicht essen kann und Kaffee am Abend nicht trinkt, weil sie sonst nicht schlafen kann. Und Emine hat gelacht und gesagt, dass sie das versteht, ihre Mutter trinkt nach fünf Uhr nachmittags auch keinen Kaffee mehr, dafür trinkt sie den ganzen Tag welchen. Und Emma hat, ohne vorher viel nachzudenken, gefragt, wieso Emines Eltern überhaupt nach Österreich gekommen sind. Und das war der Augenblick, wo Hansi wirklich zornig geworden ist und Emma verboten hat, weiter blöde Fragen zu stellen. Kurz danach hat er gesagt, dass es spät ist und dass er sie nach Hause bringt. Und Emine hat gesagt, sie soll bald wiederkommen, aber Hansi hat den ganzen Weg zurück im Auto kein Wort geredet und sie zwei Wochen lang nicht angerufen.

Emma schaut auf die Uhr auf ihrem Nachtkästchen. Es ist vier. Seit einer Stunde liegt sie wach. Eigentlich geht es ihr doch gut, denkt sie. Es fehlt ihr an nichts. Morgen geht sie wieder einkaufen. Wie jeden Montag. Das muss sie ja jetzt wieder alleine machen. Ziemlich allein ist sie eigentlich schon. Sehr allein, denkt sie. Aber das ist ja auch ganz gut so. Muss sie sich um niemanden kümmern. Alles ist gut so, wie es ist, denkt Emma. Nur zu still ist es und sie kann nicht schlafen und es ist vier Uhr früh. Und nicht einmal Mitzi kommt, um ihr Gesellschaft zu leisten.

Nacht

Sarema liegt wach. So wie jede Nacht, seit sie wieder in Grosny sind. Sie liegt wach und lauscht auf Schamils gleichmäßige Atemzüge. Der Bub liegt auf einer Matratze neben dem schmalen Feldbett, auf dem sie selbst schläft. Mehr Platz ist nicht in dem Zimmerchen neben dem Tor. Sarema liegt wach und hört Schamil beim Atmen zu und versucht gleichzeitig, die Geräusche aufzunehmen, die von draußen, aus dem Hof, vor den hohen Mauern, die das Haus umgeben, zu ihr dringen. Sie weiß, dass es viel zu früh ist, um aufzustehen. Es ist dunkel und die Hähne haben noch nicht zu krähen begonnen. In der Früh, sehr zeitig in der Früh, wenn Eva sie holen wird, um auf den Markt zu gehen, wird sie müde und kraftlos sein. Auch das weiß sie. Aber sie kann nichts gegen die Schlaflosigkeit tun. Schamil schlägt plötzlich mit dem Arm aus und trifft das Bein ihres Feldbettes, das zu zittern beginnt. Gleich wird er aufschreien, so wie fast jede Nacht, seit sie wieder hier sind, in diesem Zimmerchen neben dem Tor. In dieser Stadt. Seit er in diese Schule geht, die so anders ist. Seit die anderen Kinder ihn immer wieder verspotten, weil sein Tschetschenisch irgendwie falsch klingt.

Sarema liegt wach und versucht, nicht zu denken. Irgendwo in der Mauer, an der ihr schmales Bett steht, rascheln die Mäuse, so wie jede Nacht. Draußen rauschen die Bäume. Wahrscheinlich wird es regnen, denkt Sarema. Wenn es regnet, muss sie morgen früh vielleicht doch nicht zum Markt.

Und dann sind die Bilder wieder da. Magomed, an dem Tag, als er ihr vorschlug, sie zu entführen. Sie war 19 und studierte im letzten Jahr an der Pädagogischen Hochschule in Grosny. Und alle ihre Freundinnen waren entweder verlobt oder schon verheiratet. Sarema aber hatte sich gegen einige Vorschläge des älteren Bruders Scharif erfolgreich und mit Unterstützung der Mutter zur Wehr gesetzt. Jetzt aber wurden die Versuche Scharifs, sie zu verheiraten, immer drängender – schließlich galt sie mit ihren 19 Jahren fast schon als alte Jungfrau. Und dann hatte ihr jüngerer Bruder Ramsan eines Tages Magomed, den Ingenieur, mit nach Hause gebracht. Ramsan war ihm begegnet, als er wegen eines gebrochenen Fingers ins Spital musste und Magomed ebenfalls mit einer Verletzung darauf wartete, versorgt zu werden. Dabei waren sie ins Gespräch gekommen. Ramsan hatte erfragt, was der Bruder einer unverheirateten jungen Frau so wissen musste: Die Familie hatte einen guten Ruf in Urus Martan, von wo Magomed stammte. Magomed war 30 und verdiente als Ingenieur genug Geld – und er war ungebunden. Darüber hinaus machte er auf Ramsan den Eindruck eines aufgeschlossenen modernen Mannes, der die Schwester wohl nicht einsperren würde. Ramsan liebte Sarema und wusste, dass sie nicht hatte heiraten wollen, um tun zu können, was sie sich wirklich wünschte – Lehrerin werden. Sie stand kurz vor dem Abschluss und würde danach sicher sofort eine Stelle in einer der Schulen in Grosny finden. Es gab zu wenig tschetschenische Lehrer in der Stadt. Aber Scharif hatte auch ihm immer wieder ins Gewissen geredet.

»Eine Frau muss einen Mann haben, willst du wirklich dein Leben lang die Verantwortung für sie tragen? Du wirst auch bald eine Familie gründen, so wie ich es getan habe, wo soll Sarema dann leben? Sie muss jetzt endlich heiraten, sonst macht sie uns Schande!«

Als Ramsan Magomed traf und mit ihm ins Gespräch kam, war ihm plötzlich klar, dass dieser die Lösung des Problems war: ein offener, aufgeschlossener, noch junger selbstständiger und ziemlich gut situierter Mann, der Sarema sicher nicht daran hindern würde, ihren Traum zu verwirklichen.

Magomed gefiel Sarema. Er war nicht so laut und ungehobelt wie Scharifs Freunde, die dieser ihr aufzudrängen versucht hatte. Er interessierte sich für sie, fragte sie nach ihrem Studium, hörte ihr zu. Als er sie – ein bisschen schüchtern – fragte, ob er sie wohl entführen darf, musste sie lachen. Er hatte nicht um ihre Hand angehalten, weder bei Scharif, dem Familienoberhaupt, noch bei ihrer Mutter. Er war einfach immer wieder zu Besuch gekommen – stets mit der Erklärung, dass er Ramsan etwas mitzuteilen habe oder ihn abholen wolle. Scharif und die Mutter hatten manchmal darüber diskutiert, ob Magomed wohl der richtige Mann für Sarema sein könnte, aber weil er sich nicht äußerte, hatten sie bald das Interesse an ihm verloren und sich weiter der Suche nach passenden Kandidaten gewidmet.

Und dann eines Tages, als die beiden sich für kurze Zeit alleine im großzügigen Hof des Hauses befanden, in dem Saremas Familie lebte, hatte er einfach gefragt, ob sie wohl einverstanden wäre, wenn er sie entführte. Sarema hatte ihn verständnislos angesehen. Warum? Hatte sie gefragt und Magomed hatte ein bisschen verschämt gelächelt und erklärt, dass er sich lange Erklärungen und Auseinandersetzungen mit seiner Familie ersparen wollte, die für ihn eine Braut ausgesucht hätte, die ihm aber nicht gefiel. Sarema hingegen war ihm vom ersten Tag an als ideale Gefährtin erschienen. Sarema musste lachen und erbat sich Bedenkzeit.

Ihre Weigerung, zu heiraten, hatte nicht nur mit dem Wunsch nach Unabhängigkeit zu tun gehabt. Tief in ihrem Herzen hatte sie eine heimliche Liebe versteckt, von der nie jemand etwas erfahren durfte. Rustam war mit ihr gemeinsam in die Schule gegangen. Damals, vor dem ersten Krieg, besuchten Buben und Mädchen auch in Tschetschenien noch gemeinsam die Schule. Eine Kinderliebe war das gewesen, die damit begann, dass er sie an den langen schwarzen Zöpfen zog und sie ihn einen Teufel nannte. Die Liebe war mit den Jahren gewachsen und ihr Wissen, dass sie diese Liebe geheim halten mussten. Denn Rustams Vater war Tartare und seine Mutter Russin. Der strenge Scharif, aber auch Saremas Mutter hätten einer Ehe nie zugestimmt. Und Rustam war nicht mutig genug, für diese Liebe zu kämpfen. Sarema wäre ihm wohl ans Ende der Welt gefolgt, wenn er sie darum gebeten hätte. Stattdessen begann er, sobald sie die Schule beendet hatten und Sarema am pädagogischen Institut aufgenommen worden war, zu saufen. Sarema litt und versuchte, Rustam in den wenigen kurzen Augenblicken, in denen sie alleine waren, davon abzubringen. In der Schule war Rustam ein wunderbarer Musiker gewesen, alle hatten ihn für sein Spiel auf der Ziehharmonika geliebt und bewundert. Dann aber hatte er die Aufnahmeprüfung in die musikalische Hochschule in Wladikawkas nicht bestanden – das Instrument, das er vom Großvater geerbt hatte, war in einer Kellerecke gelandet, der Vater hatte ihn gezwungen, mit ihm auf der Baustelle zu arbeiten, und Rustam hatte sich die Hände ruiniert und sein Leben mit Alkohol vergeudet. Nicht einmal die Liebe zu Sarema, die ihn sein Leben lang begleitete, konnte ihn davon abbringen. Sarema aber hatte irgendwann die Hoffnung aufgegeben, dass Rustam vom Alkohol loskommen könnte, und sich ganz ihrem Studium gewidmet. Ihre Liebe hatte sie ganz tief im Herzen vergraben und jeden Versuch Scharifs, ihr einen anderen Mann schmackhaft zu machen, so lange mit Gleichmut abgewiesen, bis der betreffende Kandidat das Interesse verloren hatte.

Und jetzt also stand Magomed vor ihr und fragte sie höflich, ob er sie entführen dürfe.

Er gefiel ihr. Er war groß, schlank und kräftig, sein dunkles Haar war voll, seine hellen Augen sahen meistens fröhlich in die Welt. Er war nicht Rustam, dessen strahlendes Lachen sie bei niemandem wiedergefunden hatte, aber er gefiel ihr.

Sie dachte noch einmal an Rustam, der sich schon zum Idioten gesoffen hatte, zum Dorfärgernis, zum Außenseiter, den keiner in seiner Nähe haben wollte. Sarema erbat sich also Bedenkzeit – und stimmte am dritten Tag zu.

An diesem Tag im Frühling kam sie zum ersten Mal in jenes Haus, in dem sie jetzt mit Schamil wie eine Aussätzige lebt. Es war das Haus von Magomeds Tante Sulima und befand sich in einem Stadtteil am Rand von Grosny. Sulima war die Schwester von Magomeds Vater und die Vertraute des jungen Mannes. Sie war unverheiratet geblieben und lebte mit einer alten, kranken Tante und einem unverheirateten Onkel zusammen.

Magomed hatte gesagt, sie müsse nicht viel mitnehmen, im Haus seiner Tante gebe es alles, was sie brauche, und man werde sich ja auch sicher schnell einig werden und dann könne sie ganz in Ruhe nach Hause gehen und ihre geliebten Bücher und die Puppe holen, die ihr Vater ihr aus Moskau mitgebracht hatte, als sie sieben Jahre alt wurde. Sie hatte noch nie eine Puppe gehabt und diese hatte eine große Masche auf dem Kopf und war viel zu schön angezogen, als dass man mit ihr hätte spielen können. Diese Puppe – die so wichtig war, weil es das einzige Geschenk war, das ihr der Vater je gemacht hatte – hatte sie zu retten versucht, doch auch sie war den Bomben zum Opfer gefallen. Aber als Magomed sie entführte, herrschte gerade Waffenruhe – und sie trug in der Tasche nur ihren Ausweis, ihre Zahnbürste und ihren Kamm. Und natürlich ihre Hefte und Bücher, denn ihre Familie glaubte ja, sie sei auf dem Weg zur Universität und nicht zu Magomed, ihrem freundlichen Entführer.

Magomeds Tante umarmte und küsste sie. Sie bewirtete Sarema mit Tee und Kuchen und schimpfte der Form halber ein bisschen mit Magomed und forderte ihn mit gespieltem Ernst auf, die Schande, die er über Sarema gebracht hatte, auszumerzen. Der Onkel machte sich auf den Weg zu Saremas Verwandten – zähneknirschend, weil er wusste, wie Magomeds Vater und vor allem seine Mutter über diese Verbindung denken würden. Eine, die nichts hatte und studierte, war keine gute Partie in Tschetschenien.

Als Sarema nach abgeschlossenem Handel nach Hause kam, um sich auf die Hochzeit vorzubereiten, kam ihr ein strahlender Ramsan entgegen. »Geschafft«, flüsterte er leise, bevor die Mutter und Scharif sich auf das Mädchen stürzten, sie mit Vorwürfen überhäuften, ihre Leichtfertigkeit geißelten und sie fragten, was sie sich wohl dabei gedacht habe, sich in solch eine ungehörige Situation zu begeben.

Drei Wochen später heirateten Magomed und Sarema – und zogen zu Magomeds Eltern. Hätte Sarema gewusst, was da auf sie zukam, sie hätte Magomeds Antrag abgelehnt. Magomeds Mutter war unzufrieden mit dieser Schwiegertochter, die lieber über ihren Büchern saß, als zu kochen. Und Magomeds Vater war unzufrieden mit der Familie dieser Schwiegertochter, die ihm zu einfach und zu arm erschien für seinen gebildeten Sohn, den Ingenieur.

Ein Jahr nach der Hochzeit brachte Sarema ihr erstes Kind zur Welt. Ramsan nannten sie ihn, nicht nach Saremas Lieblingsbruder, sondern nach Magomeds Großvater, der ebenfalls diesen Namen getragen hatte. Sarema war glücklich. Auch wenn inzwischen Krieg war und sie kaum wusste, wie sie das Baby betreuen sollte. Ihre Mutter und Scharif waren bei einem Bombenangriff ums Leben gekommen, Ramsan mit seiner frisch angetrauten Frau ins benachbarte Inguschetien ausgewichen, Magomed aber hatte sie und den Buben zu Verwandten aufs Land gebracht und besuchte sie nur selten – im Krieg hatte man als Mann keine Zeit für Frau oder Kinder.

Sarema versuchte, ihr Studium trotzdem fortzusetzen, doch das erwies sich als unmöglich. Als sie ein paar Monate später wieder schwanger war und noch einen Sohn, Schamil, bekam, konnte von Studium überhaupt keine Rede mehr sein. In der halb zerstörten Stadt musste sie die Buben durchbringen und sich um die Schwiegereltern kümmern, beide waren nicht mehr jung und auch nicht gesund.

Vor der Türe hört Sarema ein Keuchen und erstarrt in ihrem schmalen Bett. Und wenn es Basil ist? Basil ist Evas Mann, ein Säufer und Raufbold, und weil die beiden sie und Schamil bei sich aufgenommen haben, als Sarema zurückgeschickt wurde, glaubt er, auch sie müsse ihm zu Willen sein, als sei sie seine inoffizielle zweite Ehefrau. Eva, Magomeds Cousine dritten Grades, hatte sich mit ihrem nichtsnutzigen Mann bei Sulima eingenistet, als deren alte Verwandte gestorben waren. Jetzt, nach Sulimas Tod, gehört ihr das Haus und Sarema muss für sie arbeiten, damit sie und Schamil ein Dach über dem Kopf haben. Und vielleicht auch ein bisschen Schutz. Sarema hat die Tür mit dem einzigen Sessel verbarrikadiert, ein Schloss gibt es nicht. Aber dieses Mal bleibt es beim Keuchen vor der Türe. Wahrscheinlich hat Basil mehr als sonst getrunken und keine Kraft mehr, sich gegen die Türe zu werfen und Krach zu machen.

Wenn nur Magomed noch da wäre – denkt Sarema. Alles wäre anders.

Damals im Krieg, als sie mit zwei kleinen Buben bei den kranken Schwiegereltern saß und um ihrer aller Leben zitterte, hat er sie manchmal – selten, aber eben doch manchmal – getröstet. Ihr übers Haar gestrichen und versprochen, dass sie irgendwann zu ihren Büchern zurückkehren würde, dass ihre Söhne groß und stark werden und sie beschützen würden vor allen, die ihr Böses wollten.

Sarema sieht den schlafenden Schamil an und denkt, dass es noch einige Jahre dauern wird, bevor er sie beschützen kann – wenn er dazu überhaupt je in der Lage sein sollte. Jetzt liegt da ein zarter kleiner Bub mit zu mageren Armen und Beinen, voller Angst und Unsicherheit und einem kleinen Weinen im Mundwinkel.

Einkaufen

Montagmorgen fühlt sich Emma wie gerädert. Trotzdem dreht sie um sieben Uhr das Radio auf, um Nachrichten zu hören – das ist sie so gewöhnt, auch wenn sie die halbe Nacht nicht geschlafen hat. Sie hört aber kaum hin, während sie Mitzi füttert und für sich Kaffee und Toast macht.

Montag ist Einkaufstag. Das macht sie so, seit sie nicht mehr um halb neun Uhr beim Notar sein muss. Früher, bevor der Notar sie freundlich pensioniert hat, hat sie immer am Samstagvormittag einen Großeinkauf gemacht, und bevor Georg sich seinen neuen Herausforderungen zugewandt hat, haben sie das sogar gemeinsam erledigt. Das hat ihr gefallen. Da konnte man diskutieren, ob man am Sonntag lieber Rindsrouladen essen oder doch vielleicht einmal ein Hendl braten sollte. Freilich waren das immer rein theoretische Diskussionen, weil sie in Wirklichkeit den Speisezettel für die ganze Woche im Kopf hatte. Montag gab's Krautfleckerln – die konnte sie am Sonntag vorkochen und musste sie dann nur aufwärmen – und Georg fand ohnehin, dass Krautfleckerln aufgewärmt besser schmecken. Und so hat sie für jeden Tag eine Speise im Kopf gehabt und genau gewusst, warum sie am Donnerstag gebackenen Fisch macht und am Freitag Spinat mit Spiegelei und nicht umgekehrt. Das war ihr kleiner geheimer Sieg über Georgs Mutter, die immer auf Fisch am Freitag bestanden hat.

Seit sie nicht mehr jede Früh zum Notar muss, kauft sie am Montag ein, und nicht gleich für die ganze Woche, sondern immer nur so viel, wie sie tragen kann. Wenn Hansi kommt, ist es mehr, aber seit er mit der Türkin zusammenlebt, kommt er immer seltener zu ihr und findet, dass sie sich schlecht benimmt. Er wird sich schon wieder beruhigen, sie hat doch gar nichts Böses gesagt. Dass ihr das nicht besonders recht ist, dass er mit einer Türkin lebt, hat sie gar nicht laut gesagt. Gedacht hat sie es schon. Eine schöne Familie ist das – die Enkeltochter in Italien und der Sohn isst Döner und wohnt zwischen lauter Teppichen. Nein, so hat sie sich das nicht vorgestellt, damals, im Stadionbad, als sie den schönen Georg schmachten hat lassen – weil man ja schließlich auf sich gehalten und nicht gleich nachgegeben hat, nur weil einer fesch war und Muskeln hatte.

Seit sie nicht mehr arbeitet und Georg im Pflegeheim ist, geht sie eigentlich jeden Tag einkaufen. Damit sie an die Luft kommt, sagt sie Georg, wenn sie ihn besucht. Sonst fällt ihr ja womöglich doch einmal die Decke auf den Kopf – obwohl sie schon lieber zu Hause sitzt. Und dass sie nicht mehr jeden Tag die U-Bahn nehmen muss, das ist ihre größte Freude. In der Früh, wenn sie eingestiegen ist und schon die Frauen mit den Kopftüchern gesehen hat und die Burschen, die alle irgendwie dunkel und verdächtig ausgeschaut haben – da ist ihr gleich der ganze Tag verleidet gewesen. Da ist sie meistens ganz schlecht gelaunt beim Notar angekommen und hat sich erst erholen müssen. Und immer sind die alle in der U-Bahn schon gesessen und sie hat stehen müssen. Hie und da ist schon einer von denen aufgestanden und hat ihr seinen Platz angeboten, aber das war ihr auch wieder nicht recht, weil sie sich dann alt gefühlt hat. Immerhin hat sie gefärbte und ordentlich geschnittene Haare gehabt und sich geschminkt, bevor sie in die Arbeit gegangen ist, also kann sie nicht so alt ausgeschaut haben, sicher nicht so alt, wie die mit ihren Kopftüchern und den immer ein bisserl verhärmten Gesichtern.

Jetzt fährt sie jedenfalls nicht mehr mit der U-Bahn. Zum Pflegeheim geht eine Straßenbahn, die ist ihr viel lieber – obwohl man da schon auch den einen oder anderen sehen kann, der nicht hierher gehört, findet sie.

Heute jedenfalls ist Montag und sie muss einkaufen gehen, für heute und morgen, da besucht sie nämlich wieder einmal den Georg und will sonst nichts zu tun haben.

Im Supermarkt sind wenige Leute, sie hat sich in der Früh Zeit gelassen, damit sie nicht in der Schlange stehen muss, umgeben von lauter Kindern, die sich schnell noch ein Jausensemmerl oder eine Cola holen, bevor die Schule anfängt.

Emma geht zu den Regalen, sie legt Brot, Butter, Eier und einen Karfiol in ihr Körbchen, sie fragt sich, wann Hansi wieder zum Schweinsbraten-Essen kommen wird, und geht zur Kasse. Die Kassiererin kennt sie schon. Die ist auch nicht von da, denkt Emma spöttisch und stellt ihre Einkäufe ordentlich aufs Fließband. Ob sie Sticker haben will, fragt die Kassiererin, neue gebe es, mit Tieren.

Nein danke, sagt Emma und stutzt.

Damals ist sie auch mit ihren Einkäufen an der Kasse gestanden, und die Kassiererin hat sie das Gleiche gefragt. Ob sie Sticker sammle.

Nein, hat Emma fast empört gesagt und hinzugefügt, für wen sie denn so was sammeln sollte.

Und plötzlich hat sie jemand am Ärmel gezogen. Als sie sich umgedreht hat, stand da ein kleiner Bub.

Auch so einer, hat sie gedacht und dann: Hübsch ist er, nett schaut er aus.

Der kleine Bub hat sie angelächelt und gefragt, ob er denn ihre Sticker haben dürfte, wenn sie sie nicht brauche.

Hinter dem kleinen Buben ist eine junge Frau gestanden. So eine eben. Mit langem Rock. Aber das Kopftuch hat sie nicht ganz aufgehabt, sondern eher wie ein Haarband um den Kopf gewickelt getragen. Und ihr Gesicht war gar nicht so dunkel.

Hübsch war sie und hat den kleinen Buben in einer ganz unverständlichen, wie ein Husten klingenden Sprache angeschnauzt.

Dass sie ihn angeschnauzt hat, war Emma klar. Das hat man am Tonfall gemerkt – und am Gesicht, das der Bub gemacht hat. Da hat er Emma plötzlich leidgetan und sie hat der Kassiererin gesagt, sie solle die Sticker doch dem Kleinen geben. Die Kassiererin, die Emma schon lange kennt, hat erstaunt geschaut und die Sticker zu dem Buben hinübergeschoben. Der hat Emma angestrahlt und ganz artig »Danke schön« gesagt.

Und dann hat auch die junge Frau Emma angestrahlt und sich bedankt. Dass die nicht gut Deutsch kann, hat Emma sofort bemerkt.

Das hat ja nicht wehgetan, hat sie noch gedacht und ist nach Hause gegangen zu Mitzi, die natürlich schon wieder hinter der Wohnungstür gewartet hat und sofort ins Stiegenhaus hinausgeschossen ist. Emma hat ihr wieder einmal bis in den fünften Stock nachlaufen und das fette Vieh dann auch noch wieder hinunter in den dritten schleppen müssen. So, jetzt hat sie wieder einmal genug Bewegung für einen Tag gemacht, denkt Emma und räumt die Einkäufe weg.

An den Tag erinnert sich Emma so genau, weil Hansi am Nachmittag zum ersten Mal seit zwei Wochen angerufen hat. So, als ob nichts gewesen wäre. Wie es ihr geht, hat er gefragt, und ob sie am Sonntag ins Jägerhaus gehen sollen. Emma hat dann vom kaputten Eiskasten erzählt und der Hansi hat versprochen, am Freitag mit ihr gleich nach Dienstschluss einen neuen kaufen zu gehen.

Emma ist schon sehr stolz, dass der Hansi Arzt geworden ist. Sie selbst hat gar nicht studieren können und der Georg ist auch nur so ein kleiner beamteter Ingenieur gewesen. Nicht dass der Hansi einer von den Ärzten wäre, die Leben retten. Der Hansi arbeitet in einem Laboratorium, wo die Leute ihr Blut analysieren lassen, und tut den ganzen Tag nichts anderes, als Menschen in den Arm stechen und in ein Mikroskop schauen, sagt er.

Aber ein Herr Doktor ist er trotzdem, der Herr Doktor Hans Pierringer. Wie das klingt! Für die Promotion hat sie sich damals extra das blaue Jackenkleid machen lassen und die Luise hat gesagt, sie schaue aus wie die Königinmutter, und Emma weiß bis heute nicht, ob das ein Kompliment war oder eher eine Beleidigung. Jedenfalls sitzt der Herr Doktor seitdem jeden Tag im Labor und ist glücklich damit.

Fixe Dienstzeiten und keine Verantwortung, sagt er immer und lacht nur, wenn sie ihn fragt, ob er nicht was Wichtigeres machen möchte. Möchte er nicht. Er ist zufrieden mit seiner Arbeit und damit, dass er auch noch Zeit für sich hat, sagt er.

Am Freitag hat der Hansi sie also zum Eiskastenkaufen abgeholt. Und als sie hinuntergekommen ist, wer sitzt da hinten im Auto und strahlt sie an? Emine. Und sie hatte so gehofft, dass sie mit dem Hansi ein bisschen allein sein könnte.

»Emine«, sagt Hansi, »kennt da so einen Diskounter, wo man die Sachen für den Haushalt besonders billig kriegt und dazu noch die besten Marken. Da fahren wir jetzt hin!«

»Ich bin doch Architektin, weißt du«, sagt Emine und lacht schon wieder, und Emma findet, dass es dafür gar keinen Grund gibt. »Da muss man so seine Verbindungen haben, wenn man Wohnungen einrichtet!«

Aha, Verbindungen hat sie. Reden die Leute nicht immer über Mafia und so, denkt Emma. Organisiertes Verbrechen, den Ausdruck hat sie unlängst im Radio gehört. Na danke, hat die neue Freundin von ihrem Hansi vielleicht gar etwas mit denen zu tun? Komisch kommt ihr die ja schon von Anfang an vor. Immerhin war die Gisela eigentlich noch viel unsympathischer, denkt Emma und fragt: »Hast du übrigens deine ABBA-Platten schon von der Gisela abgeholt?«

»Nein«, sagt Hansi und macht ein böses Gesicht. »Die Kuh hat sie alle weggeschmissen!«

»Hans, mach dir doch nicht so viel daraus«, zwitschert Emine vom Rücksitz. »Heute Abend such ich sie dir im Internet, wirst sehen, die krieg ich alle wieder zusammen!«

Und der Hansi lächelt ganz verzückt und sagt zu Emma: »Ist sie nicht fantastisch?«

Am nächsten Montag trifft Emma die zwei wieder im Supermarkt. Dieses Mal stehen sie vor ihr in der Schlange an der Kasse. Die Frau hält eine Flasche Milch und einen Laib Brot im Arm. Dann gibt sie beides dem Buben, macht ihre Tasche auf, zieht eine ganz abgewetzte Geldtasche heraus und zählt Münzen. Und sagt plötzlich leise und traurig etwas zu dem Buben und der antwortet etwas und dann sagt sie noch etwas und dann geht er und kommt ohne die Milch zurück.

Morgen

Schamil will nicht in die Schule. Sarema weiß, dass er nicht hin will. Dass ihn die anderen hänseln, dass er mit den Lehrerinnen nicht zurechtkommt, dass ihn alle abschätzig ansehen, weil er arm ist und keinen Vater hat. Und vor allem, dass er sich nach seiner sauberen Schule in Wien zurücksehnt, nach dem Fußballspielen mit seinen Freunden, und dass er sein Stickeralbum weiter auffüllen will. Sie weiß, dass es ihm nicht gefällt in diesem Haus, in das sie nun zurückgekehrt sind und in dem niemand mehr nett zu ihm ist. Er weint nicht, wenn sie ihn in der Früh aufweckt, ihm mit Wasser gestreckte warme Milch mit Honig und ein Stück Fladenbrot hinstellt, ihm die in der Nacht gewaschenen Kleider hinlegt und ihm sagt, er müsse sich beeilen. Er ist ja schließlich schon ein großer Bub. Schon fast ein Mann, der Mann in ihrer kleinen Familie. Aber eben nur fast. In zwei Jahren, nach seinem 14. Geburtstag, wird er das Familienoberhaupt sein und sie vor den Übergriffen Basils und aller anderen beschützen. Sagt er manchmal, wenn sie abends in ihrem winzigen Zimmerchen auf dem Bett liegen und Schamil wieder einmal von Ramsan und Magomed und dem namenlosen Mädchen hören will.

Bevor alles geschah, war er gerne in den Kindergarten gegangen. Das war, bevor Magomed auf die Mine stieg und Ramsan von einer verirrten Kugel getroffen wurde – beim Spielen auf dem Platz vor dem Haus. Bevor das namenlose Mädchen an Lungenentzündung starb in jenem Kriegswinter, den sie im Keller ihres Wohnhauses ohne Medizin und ohne Heizung verbracht hatten. Es war zu kalt für das in diesem Keller geborene Baby. Und Magomed war nicht da. In die Berge war er gegangen, als der Krieg wieder losbrach, und hatte gesagt, dieses Mal wollte er selbst dafür kämpfen, dass seine Kinder in einem freien und gerechten Land leben könnten.

So große Worte für so viel Blut, denkt Sarema jetzt. Und am Ende hat er sie allein gelassen mit zwei kleinen Kindern und einem dritten im Bauch und seinen beiden alten kranken Eltern. Und sie wusste von Tag zu Tag nicht, wo sie noch genug Essen auftreiben könnte für sie alle. Und Wasser. Und Medikamente.

Damals im Keller haben die Großeltern Ramsan und Schamil Geschichten erzählt. Davon, wie sie als Kinder mit ihren Müttern und den kleineren Geschwistern in Viehwaggons weggebracht worden sind aus Tschetschenien.

Damals kannten sie sich nur vom Sehen, weil man sich im Dorf eben so kannte, erzählte Großmutter Malika, und Großvater Aslan schmunzelte zum ersten Mal seit vielen Wochen ein ganz klein wenig, obwohl über ihnen die Bomben fielen und der Keller kalt und feucht und dunkel war und sie froren und Hunger hatten.

Im Viehwaggon waren sie gemeinsam weggefahren – ins ferne Kasachstan, das sie nicht kannten. Die Väter waren an der Front, in dem Waggon waren nur Frauen und Kinder und der eine oder andere sehr alte, kranke Mann.

Die Urgroßmütter hatten die Deportationsfahrt nicht überlebt und auch ihre Väter würden Malika und Aslan nie wieder sehen: Beide fielen im Großen Vaterländischen Krieg, noch bevor man sie von der Front weg hatte deportieren können. Bei ihrer Ankunft mitten in der unwirtlichen Steppe waren Malika und Aslan, die jeweils ältesten Geschwister, plötzlich für ihre Familien verantwortlich gewesen. Völlig verloren waren sie dagestanden angesichts der Kälte und des Elends und der Menschen aus dem kasachischen Dorf, die sie ansahen, als kämen sie vom Mond.

Um zu überleben, hatten sie sich bei anderen Armen als Knecht und Magd verdingt – und um nicht allein zu sein, irgendwann geheiratet, als beide alt genug gewesen waren. Von den beiden großen Familienclans war keiner da, der die Heirat hätte verhindern können. Bald nachdem sie sich notdürftig in der Einöde des Verbannungsortes eingerichtet hatten, waren die jüngeren Geschwister in weit entfernte staatliche Kinderheime weitergeschickt worden. Die verhassten sowjetischen Behörden waren ihrer bürokratischen Pflicht nachgekommen, hatten alle registriert und die Kleinen einfach mitgenommen.

Das hatten nicht alle Kinder überlebt. Malika hatte nur noch eine Schwester, die in Kasachstan geblieben war und kaum noch Verbindung zum fremd gewordenen Rest der Familie hielt. Von Aslans drei Geschwistern hatten nur zwei überlebt, ein Bruder und die kleine Sulima; mit dem Bruder hatte die Familie keinen Kontakt mehr, auch wenn er jetzt in der Nähe von Grosny wohnte. Das Trauma jener Deportation und des Verlustes von Eltern und Geschwistern hatte er nie wirklich überwunden – vielleicht hatte er sich auch deswegen von ihnen abgewandt.

Im vergangenen Kriegswinter war dieser Onkel im fernen Moskau in Sicherheit gewesen, während Magomeds Eltern und die hochschwangere Sarema mit den beiden Buben zu lange in der Stadt ausgeharrt hatten und nun in jenem Keller festsaßen.

An einem Tag, der ruhiger schien als die letzten Wochen, wurde Aslan plötzlich rastlos. Er stürzte aus dem Keller, obwohl alle versuchten, ihn zurückzuhalten. Er war nicht mehr er selbst, schrie, dass er es nicht mehr ertragen könne und auch nicht mehr wolle, dass er die Deportation nicht überlebt habe, um in einem dunklen Kellerloch wie eine Ratte zu krepieren. Die hochschwangere Sarema lief ihm nach – und sah gerade noch, wie er mitten auf der Straße zusammenbrach. Den Schuss, der ihn getötet hatte, hatte sie vor Aufregung gar nicht gehört. Als sie zu ihm hingehen wollte, hörte sie die Panzer – und kehrte schnell ins Kellerversteck zurück. Am selben Abend setzten bei Sarema die Wehen ein, während über ihnen rund um die Ruine ihres einstigen Wohnhauses die Raketen einschlugen.

Saremas einziges Glück war ihre Gesundheit. Das Kind kam viel zu früh, aber sie brachte es mithilfe der Nachbarinnen und der Schwiegermutter zur Welt. Um das Baby zu wiegen, benutzten sie einen Kochtopfdeckel, den sie an eine Handwaage hingen, die einer der Nachbarinnen gehörte. Diese hatte sich über Wasser gehalten, indem sie Obst und Gemüse aus ihrem Garten auf dem Markt verkaufte. Jetzt war ihr Garten eine Schutthalde und sie saß im Keller, wie alle anderen. Es war ein Mädchen, viel zu klein und zu leicht, aber es lebte. Und Sarema versuchte mit allen Mitteln, es am Leben zu erhalten. Ihre Milch war allerdings nicht wirklich nahrhaft und die hygienischen Umstände einem Neugeborenen alles andere als zuträglich. Das Kind wurde trotz aller Bemühungen täglich schwächer und bekam nach zwei Wochen hohes Fieber, das sie mit kalten Wickeln und Herumtragen zu lindern versuchten. In der dritten Woche starb das kleine Mädchen – ohne dass ihr Vater es je gesehen hatte. Magomed kämpfte in den Bergen und sollte kurze Zeit später bei dem Versuch, sich zu ihnen durchzuschlagen, auf eine Mine steigen.

Nach dem Tod des namenlosen Mädchens, das nach Saremas Wunsch eine stolze, schöne, starke Eva hätte werden sollen, und Aslans Verschwinden verfiel Malika in tiefe Schwermut. Sie erzählte nicht mehr von der Zeit in Kasachstan, vom Glück, wenn es einmal mehr als Hafergrütze und trockenes Brot zu essen gab, von der Freude über das im Stall gestohlene Schlückchen frisch gemolkener Ziegenmilch, davon, dass sie manchmal sogar getanzt hatten miteinander. Sie saß auf ihrer Matratze in der Ecke und starrte vor sich hin. Und wie das kleine namenlose Mädchen verließen auch sie zusehends die Kräfte.

Sarema aber hatte keine Zeit zu trauern. In den Pausen zwischen einem Feuergefecht und dem nächsten wagte sie sich auf die Straße, holte Wasser aus dem wie durch ein Wunder heil gebliebenen Brunnen im Hof des Nachbarhauses und suchte Lebensmittel. Irgendwann war sie soweit, dass sie in leere Wohnungen eindrang und mitnahm, was sie brauchen konnte, warme Decken, Kleidung und alles Essbare. Manchmal, wenn sie nicht zu müde war, hinterließ sie einen entschuldigenden Zettel mit ihrem Namen. Meist nahm sie einfach, was sie finden konnte.

Am Ende dieses Winters, als der Schnee endlich wegzutauen begann und die Luft sanft durch die Spalten unter der Tür in den Keller wehte, wachte Malika eines Morgens einfach nicht mehr auf. Und Sarema begriff, dass sie es keine Sekunde länger in diesem Keller, in dem schon so viel Tod war, würde aushalten können.

Sie packte so viel Kleidung, Decken und Essbares zusammen, wie sie in einem Bündel auf dem Rücken tragen konnte, füllte zwei Plastikflaschen mit Wasser aus dem Brunnen, versteckte ihren Pass in der Jackentasche, nahm die Buben fest an der Hand und verließ unter den beschwörenden, missbilligenden Rufen der Nachbarinnen den Keller für immer.

Wie oft sie sich mit den Buben in einen Straßengraben ducken musste, wenn die Panzer vorbeirollten, wie oft sie in fremden Kellern übernachteten, weiß sie heute gar nicht mehr. Am Ende ihrer Flucht kam sie in dem Dorf an, in dem ihre älteste Schwester mit ihrem Mann und fünf Kindern lebte.

Natürlich nahmen sie Sarema und die Buben auf. Natürlich fütterten sie sie mit allem, was sie hatten, bis sie wieder zu Kräften gekommen waren. Natürlich trösteten sie sie in ihrer Trauer um das namenlose Mädchen und machten ihr Hoffnung auf Magomeds Rückkehr, weil auch sie nicht wussten, dass er nie mehr zurückkehren würde, und natürlich boten sie ihr an, solange zu bleiben, wie sie nur wollte. Aber Sarema wusste, wie schwer es die Schwester und ihr Mann hatten, der gefangen genommen und gefoltert worden war und seither nicht mehr schlafen konnte, weil ihn nachts einholte, was er tags weit wegschob.

Und dann geschah das Unglück mit Ramsan. Der Bub hatte mit seinen Cousins auf der Straße vor dem Haus Fußball gespielt. Plötzlich rannten Bewaffnete die Straße hinunter, die Kinder stürzten ins Haus, doch Ramsan wollte den Fußball retten – den kostbaren Fußball, den Magomed ihm einst von einem Besuch in Moskau mitgebracht hatte und den Ramsan seither gehütet hatte wie seinen größten Schatz. Der Ball war in die Mitte der Straße gerollt, und Ramsan hatte ihn schon erreicht, als die Kugel ihn in den Kopf traf. Es war eine verirrte Kugel, keiner der Bewaffneten hatte den kleinen Buben beachtet, sie hatten geschossen und waren schon verschwunden, als Sarema aus dem Haus stürzte und ihr totes Kind in der Mitte der Straße liegen sah.

Danach hatte es sie nicht mehr gehalten im Haus der Schwester. Als die Kämpfe für eine Weile eingeschlafen schienen, fand Sarema einen Mann, der bereit war, sie und Schamil in die Stadt mitzunehmen, zum Haus von Tante Sulima, in das Magomed sie damals entführt hatte, um sie zu heiraten.

Sulima schlug die Hände über dem Kopf zusammen und brach in bittere Tränen aus, als sie die zwei vor der Türe stehen sah. Sie schluchzte die Nachricht von Magomeds Tod heraus, noch bevor Sarema und Schamil ihr Haus betreten konnten.

Und dann richteten sie sich bei Sulima ein, die fast allein zurückgeblieben war von dem einst großen Familienclan rund um Magomeds Vater. Einzig ihre entfernten Verwandten Eva und Basil hatten bei ihr Unterschlupf gefunden. Die Tante überließ Sarema den größten Schlafraum in dem alten viereckigen Haus mit dem wunderbaren bewohnbaren Hof, in dem sie sommers unter der Pergola saßen und Tee tranken.

Schamil ging in den Kindergarten. Sarema nahm ihr Studium wieder auf – und betreute tageweise die Kinder der Nachbarinnen, die auf dem Markt arbeiteten, wie auch die zwei Mädchen von Eva und Basil. Sulima bezog eine kleine Rente und so kamen sie ganz gut zurecht.

Bis eines Tages plötzlich Lisa vor der Türe stand.

Die Begegnung

Nichts hat sie sich dabei gedacht, als die junge Frau den Buben geschickt hat, um die Milch zurückzustellen. Wahrscheinlich, hat Emma überlegt, hat sie gerade nicht genug Geld dabei und wird die Milch nachher holen kommen.

Dann ist sie nach Hause gegangen und hat so ganz nebenbei auch gedacht, wie brav und bescheiden der Bub gewesen ist und wie folgsam. Nicht so, wie diese Fratzen in der Wohnung über ihr, die dauernd Krach machen und ihr, wenn sie ihnen im Stiegenhaus begegnet und sagt, sie könnten auch etwas leiser reden, frech ins Gesicht lachen und manchmal auch die Zunge herausstrecken. Verwöhnte Luder alle drei, denkt Emma bei sich und macht die Wohnungstüre fest zu.

Heute kommt Hansi zu Besuch. Luzie hat Ferien und geht nicht so gern alleine zur Oma. Das hat er ihr natürlich nicht gesagt am Telefon, aber Emma kennt ja ihre Pappenheimer. Dabei hat sie Luzie doch gern, auch wenn die sich jetzt so italienisch aufführt, dass Emma manchmal angst und bange wird. Und Emine will auch mitkommen, weil sie Emma schon so lang nicht gesehen hat und so gern wieder einmal mit ihr reden möchte.

Emine? Was soll sie mit der denn reden? Oder macht die das jetzt so wie die Gisela, die auf alles und jeden eifersüchtig war und immer auf dem Hansi gepickt ist wie eine Klette? Und dann die ABBA-Platten vor Wut weggeschmissen hat? Und inzwischen auch schon wieder einen neuen Mann hat? Das weiß Emma nur, weil sie sie einmal schmusend bei der Autobushaltestelle gesehen hat, ganz zufällig, wie sie vom Zahnarzt gekommen ist.

Wenn die Emine mitkommt, kann sie natürlich keinen Schweinsbraten machen. Wird's halt ein Kaiserschmarrn mit

Zwetschkenröster, den kriegt die Luzie in Turin sicher auch nie, weil die Luise nicht gerade eine geniale Köchin ist. Außerdem sagt die Luzie immer, in Italien isst man eben anders. Anders heißt nicht besser, antwortet Emma dann immer und kichert ein bisschen, und dann ist die Luzie immer leicht eingeschnappt und macht ein Gesicht wie eine Zitrone, und Emma findet, dass sie keinen Sinn für Humor hat. Die Luzie sagt dann immer: »Nur für deinen Humor nicht, Oma«, und dann ist wiederum Emma beleidigt. Und genau wegen solcher Dummheiten kommt die Luzie lieber mit dem Hansi zu ihr, dann diskutieren sie nicht über italienisches Essen, sondern reden über was anderes.

Und worüber kann diese Emine nur mit ihr reden wollen?

Na gut, beim Eiskastenkaufen war sie schon eine Hilfe, auch wenn Emma lieber einen altmodischen weißen gehabt hätte und Emine ihr dieses silberne Ungetüm eingeredet hat, das eigentlich viel zu groß ist für sie und Mitzi und ihre Küche, das sie aber um 20 Prozent vom eigentlichen Kaufpreis gekriegt haben, weil Emine die Leute im Geschäft von früher kannte. Na ja, diese Türken, alle miteinander verbandelt, hat Emma gedacht, sich aber nicht getraut, laut etwas zu sagen, weil der Hansi dann sicher gleich wieder wütend geworden wäre. Und gut, dass sie nichts gesagt hat, weil die Leute im Geschäft gar keine Türken waren und ihr den Eiskasten trotzdem fast geschenkt haben, weil er ein paar Monate im Geschäft ausgestellt gewesen war und hinten im Eck eine kleine Delle gehabt hat, die man eigentlich gar nicht gesehen hat.

Also kocht sie für Emine auch mit. Immerhin ist der Hansi schon ein Jahr mit ihr zusammen, und seit er bei ihr wohnt, ist er viel besser gelaunt und auch viel netter zu Emma. Er ruft sogar an, um zu fragen, wie es ihr geht, und hat sie unlängst einmal ins Kino mitgenommen. Das hat er noch nie gemacht, nicht mit Luise und schon gar nicht mit Gisela. Emma war so viel Sohneszuwendung fast schon unheimlich, aber natürlich hat sie sich sehr gefreut und es am nächsten Tag auch pflichtschuldigst dem armen Georg im Pflegeheim erzählt, mit dem der Hansi seit Jahren gar nichts mehr zu tun haben will, was Emma doch ein gewisses Gefühl der Befriedigung gibt.

Georg hat aber nur gelächelt und in seinem Kauderwelsch, das er seit dem Schlaganfall nicht mehr losgeworden ist, gesagt, dass der Hansi ihn vor zwei Tagen besucht und eine sehr hübsche, nette, junge Frau aus der Türkei mitgebracht hat. Da war Emma dann wieder ein bisserl irritiert, weil der Hansi doch immer auf ihrer Seite gewesen ist und ihr außerdem nicht gesagt hat, dass er den Georg besucht hat.

In der Früh ist Emma also schnell noch in den Supermarkt gelaufen, weil sie zu wenige Eier im Haus hatte. Auf dem Rückweg hat sie sie wiedergesehen. Die junge Frau war ganz grün im Gesicht und lehnte an einer Hausmauer. Der Bub stand neben ihr und hat ihre Hand gestreichelt. Plötzlich hat Emma gedacht, dass sie da helfen sollte. Also ist sie hingegangen, hat einen Fünf-Euro-Schein aus dem Geldbörsel genommen und ihn der Frau hingehalten.

Der Bub und die Frau haben sie entsetzt angeschaut und dann beide heftig die Köpfe geschüttelt. Emma war ein bisschen gekränkt, weil sie ja nur hatte helfen wollen. Sie hatte sich schon zum Gehen umgedreht, da hat die Frau leise Danke gesagt und dann dem Buben etwas ganz und gar Unverständliches zugemurmelt, und der hat gesagt: »Schlechte Nachricht von zu Hause. Mama traurig. Soll ich sagen Danke – sind Sie guter Mensch.«

Emma war sprachlos. Noch nie hat sie jemand als guten Menschen bezeichnet. Sie sich selbst auch nicht. Sie hat nur genickt, sich umgedreht und ist nach Hause gegangen. Während sie den Kaiserschmarrn vorbereitet hat, hat sie überlegt, ob sie das dem Hansi überhaupt erzählen soll. Und der Luzie. Und der Emine.

Sie hat sie schon vor der Türe laut lachen gehört und das nicht gut gefunden. Was sich die Leute im Haus denken werden, wenn da welche vor ihrer Türe so herumkudern. Aber dann sind ihr die schlechterzogenen Fratzen aus dem dritten Stock eingefallen und sie hat sich gedacht, denen geschieht schon recht, wenn jemand anderer auch Krach macht im Stiegenhaus.

Und dann standen sie in der offenen Tür – der Hansi mit einem Veilchenstöckerl in seinen großen Pratzen und Emine und Luzie Arm in Arm und immer noch kichernd. Über die Veilchen hat sie sich gefreut, auch wenn solche Blumenstöcke bei ihr meistens nach zwei Wochen eingehen, weil sie sie entweder zu viel oder zu wenig gießt und die Mitzi sie ausgräbt oder anfrisst. Na gut, Veilchen wird sie schon nicht fressen, außerdem kann sie sie ja irgendwo oben hinstellen, hat sie noch gedacht und dann gefragt, worüber die Mädeln denn so kichern. Emine und Luzie, die sich blendend zu verstehen scheinen, haben ihr erzählt, wie Luigis Mutter und Emines Großvater österreichische Namen aussprechen und ihr Beispiele aufgezählt und dabei so weitergelacht, dass sie beide Schluckauf gekriegt haben und in die Küche gestürzt sind, um Wasser zu trinken.

Na, die sind ja gut aufgelegt, hat Emma gedacht und sich ein bisschen ausgeschlossen gefühlt, weil der Hansi genauso mitgekichert hat und sie den Witz irgendwie nicht verstanden hat. Also hat sie den Kaiserschmarrn fertig gemacht und serviert und beim Essen, nur um auch etwas zu sagen, erzählt, wie sie die zwei auf der Straße gesehen hat und ihnen Geld geben wollte und sie zu ihr gesagt haben, dass sie ein guter

Mensch sei. Daraufhin hat Luzie schallend gelacht, Hansi hat gesagt, dass die beiden sie halt nicht kennen – und nur Emine ist ernst geblieben, hat die Luzie gut sichtbar mit dem Ellbogen in die Seite gestoßen und dem Hansi einen strengen Blick zugeworfen.

Und dann hat sie Emma ausgefragt. Wo die beiden herkommen, wieso sie sie kennt, wie alt der Bub ist, wie sie ausschauen und so weiter.

Vor lauter Erzählen hat Emma vergessen, sich über Hansi und Luzie zu ärgern und Emines Fragen irgendwie seltsam zu finden. Weil sie beim Erzählen plötzlich gemerkt hat, dass sie gar nichts weiß über die beiden. Nur dass sie Ausländer sind, das hat sie gewusst.

Emine hat ihr dann beim Abräumen geholfen, und wie sie in der Küche gestanden sind, hat sie gesagt, Emma solle aufpassen, die wollten sie vielleicht nur ausnützen. Das hat Emma ziemlich gewundert, weil Emine ja schließlich auch eine Ausländerin ist, oder? Man könne ja nicht wissen, was das für Leute seien, hat Emine auch gesagt, und wo die herkommen und was die hier tun, und Emma solle sich da lieber auf nichts einlassen, schließlich sei sie eine allein lebende ältere Frau und da könne schon so einiges passieren. Emma hat langsam ihren Ohren nicht mehr getraut.

Ob sie Kaffee machen dürfe, hat Emine dann ganz lieb gefragt, und Emma hat kurz geschluckt, weil sie eigentlich nach dem Essen nie Kaffee trinkt, sondern immer nur zum Frühstück, aber da hat Emine schon die Kaffeemaschine angeworfen und Milch und Zucker auf Emmas Vorzeigetablett gestellt – das Tablett, das ihr eine Tante zur Hochzeit geschenkt hat und das sie nie verwendet, weil sie es nicht zerkratzen will. Natürlich war das ungefähr hundert Jahre her und das Tablett ist immer nur als Staubfänger in der Küche herumgestanden, aber jetzt hat es Emine einfach vom Kasten heruntergeholt und das Milchkännchen und die Zuckerdose draufgestellt.

Emma hat sich nicht mehr ausgekannt. Diese Emine war aber auch zu merkwürdig. Eigentlich war Emma ja gerade ziemlich zufrieden, weil Luzie sich ganz offensichtlich gut mit der neuen Frau von ihrem Vater verstand und das Kind daher hoffentlich wieder öfter nach Wien und eben auch zu ihr kommen wird. Andererseits benimmt sich diese Emine schon, als gehöre sie zur Familie, also zu ihr und zum Hansi und vielleicht sogar zu Georg im Pflegeheim dazu. Das findet Emma dann schon beunruhigend.

Den Kaffee hat sie abgelehnt, aber die Kekse, die sie zur Jause servieren wollte, hat sie gleich hervorgeholt und auf den Glastisch im Wohnzimmer gestellt, wo Emine den Kaffee serviert hat. Auch Luzie, dem Fratz, hat sie einen eingeschenkt, obwohl die Emmas Ansicht nach noch viel zu jung ist für einen Espresso, wie ihn Emine produziert hat. Aber Luzie hat erklärt, in Italien trinken alle nach dem Essen Espresso. Schon wieder dieses Italien, wo alle schlechten Eigenschaften ihrer Enkelin offenbar als gute angesehen werden.

Der Hansi hat aber nur zustimmend genickt und die Mitzi gestreichelt. Die weicht nämlich nicht von seiner Seite, sobald er Emmas Wohnung betritt. Sie streicht mit erhobenem Schwanz um seine Beine, und sobald er irgendwo sitzt, macht sie es sich auf seinem Schoß bequem und schnurrt wie ein ganzes Sägewerk.

Der Hansi ist also dagesessen mit abwesendem Blick und hat die Mitzi gestreichelt und plötzlich so ganz nebenbei gesagt: »Und übrigens kriegt die Luzie einen Bruder!«

Lisa war Saremas Lieblingsschwester.

Sie war die Jüngste in der Familie, eine Nachzüglerin, die sich den Weg in die Welt erkämpft hatte – eigentlich gegen jede Vernunft und gegen den Wunsch von Saremas Mutter, die damals schon fast 40 Jahre alt war und nach einem schweren Leben wirklich kein fünftes Kind mehr wollte. Auch sie war in der Verbannung in Kasachstan gewesen und unter großen Mühen in eine Heimat zurückgekehrt, in der sie nicht willkommen war.

Als sie nach Tschetschenien zurückkehren durften, war Sarema noch nicht auf der Welt gewesen. Auch ihre Brüder konnten sich nur bruchstückhaft daran erinnern, wie es gewesen war, in einem Keller hausen zu müssen, weil das Familienhaus des Vaters plötzlich nicht mehr ihm, sondern einer fremden Familie gehörte.

Saremas Eltern hatten sich fast zu Tode geschuftet, bevor sie wieder ein eigenes Haus mit einem Stück Land dazu ihr Eigen nennen konnten, das groß genug war, um alles anzubauen, was man zum Leben brauchte. Die Brüder hatten von klein auf selbstverständlich mitgeholfen, bei der Kartoffelernte wie auch beim Füttern der Hühner, und hatten die Kuh abwechselnd zum Grasen auf die brachliegenden Wiesen in der Umgebung getrieben.

Sarema war, wie Lisa, nach der Rückkehr in Grosny geboren. Im Unterschied zu ihrer kleineren Schwester aber hatte sie noch friedliche Zeiten erlebt – bevor die Kriege ihr ganzes Leben auf den Kopf stellten. Die große Schwester hatte geheiratet, als Sarema gerade 14 geworden war, und war mit ihrem Mann in jenes Dorf gezogen, in dem sie so viele Jahre später Sarema und die Buben aufnehmen sollte. Jetzt war dort nur ein weiterer Ort, an dem Sarema nicht bleiben konnte, dort war Ramsan gestorben, seinen Fußball fest im Arm.

Als der erste Krieg kam, war die Welt zusammengebrochen, und Saremas Familie hatte sich aufgelöst. Der Vater war auf der Suche nach seinem Bruder, den Maskierte nach einer sogenannten »Säuberung« mitgenommen hatten, selbst verschollen. Er war eines Morgens aus dem Haus gegangen und nie mehr zurückgekehrt. Später war ihr Bruder Scharif zusammen mit der Mutter einer Rakete zum Opfer gefallen, die in ihr Elternhaus eingeschlagen und dieses vollständig zerstört hatte. Scharif hatte die Mutter zu sich in die Berge holen wollen, wo er mit Frau und Kind Zuflucht gefunden hatte, als die Rakete einschlug. Ihr jüngerer Bruder Ramsan war mit seiner jungen Frau nach Inguschetien geflüchtet, doch als er in jener kurzen Zeit zwischen den beiden Kriegen, als viele meinten, das Schlimmste sei überstanden, zurückkommen und das Elternhaus wieder aufbauen wollte, fand auch er den Tod: Mit zahllosen anderen fiel er jener Bombe zum Opfer, die auf dem Markt in Grosny ein Blutbad anrichtete.

Sarema selbst hatte geheiratet, ihr Studium abgebrochen und ihr Leben in der Familie ihres Mannes fortgesetzt. Wenn sie sich jetzt zurückerinnerte, so hatten immer Unruhe und Angst geherrscht, war immer Krieg gewesen.

Lisa aber war weggegangen nach Moskau, um Ärztin zu werden.

Sie war immer die Klügste der Familie gewesen, so war es zumindest Sarema erschienen, die viel zu früh geheiratet und ihr Studium nie abgeschlossen hatte. Lisa aber hatte von allem Anfang an keinen Zweifel daran gelassen, dass sie eine Universität besuchen und abschließen würde. Sie hatte ihr Studium in Moskau mit großem Eifer und Wissensdurst betrieben. Und dann hatte sie Aslambek kennengelernt – und ihn geheiratet, ohne sich rauben zu lassen, ohne die Familie zu fragen, ohne großes Fest und ohne all das, was eigentlich zu einer tschetschenischen Hochzeit gehörte. Sie waren in Moskau in den Heiratspalast gegangen, zwei ihrer Kommilitonen als Trauzeugen im Schlepptau, und hatten ihre Ehe registrieren lassen. »Damit keiner sich aufregt«, hatte Lisa am Telefon gesagt, als sie Sarema ihre Heirat mitgeteilt hatte. Die Brüder waren böse gewesen, hatten Lisa am Telefon die Leviten gelesen, sie nach Aslambeks Familie ausgefragt, nach seiner Herkunft, seinem Beruf. Die Brüder hatten, wie schon bei Sarema, selbstverständlich die Rolle des Familienoberhauptes übernommen und die jüngeren Schwestern durchaus auch tyrannisiert. Und jetzt hatte die Jüngste ganz einfach so geheiratet, ohne sie um ihr Einverständnis zu fragen? Eine Ungeheuerlichkeit.

Aber die widerspenstige kleine Schwester hatte nur gelacht und gesagt, sie alle könnten sehr stolz sein, denn jetzt würden sie gleich zwei Ärzte in der Familie haben. Und dann waren beide zurückgekommen in dieses geschundene, zerbombte Grosny und hatten sich eingerichtet. Aslambeks Familie, die nicht aus Grosny stammte und über genügend Geld verfügte, hatte ihnen eine Wohnung gekauft.

Wasser mussten sie im Hof bei einem Brunnen holen und auf den Schultern in den vierten Stock schleppen, weil weder Leitungen noch Pumpe vorhanden waren, und heizen konnten sie im kalten tschetschenischen Winter nur mit dem Gasherd in der Küche, der denn auch Tag und Nacht lief. Und jedes Mal, wenn Sarema zu Besuch gekommen war, hatte sie den beißenden Geruch wahrgenommen und Angst um ihre kleine Schwester gehabt.

Die aber hatte sie beruhigt und gesagt, sie sei glücklich hier, Aslambek und sie hätten beide Arbeit im örtlichen Spital und es ginge ihnen wunderbar, ein Leben wie Sarema hätte sie, Lisa, nie leben mögen.

In dieser Zeit des Atemholens, bevor der zweite Krieg losbrach, der offiziell »antiterroristische Operation« genannt wurde, war Lisa schwanger geworden. Sarema, die schon zwei Buben hatte, hatte sie mit guten Ratschlägen versorgt und sich als große Schwester bemüht, sie zu verhätscheln. Doch die Freude hatte nicht lange gedauert, denn Lisa hatte das Kind im vierten Monat verloren, als in der Nähe ihres Hauses eine Rakete einschlug, denn selbst ein relativer Friede dauerte in Tschetschenien nie lange.

Ärzte gehörten zu jenen, die in dieser Zeit des Mordens und Folterns am meisten gebraucht wurden, und seit Lisa im Spital in Grosny arbeitete, war sie immer blasser und schmaler geworden. Manchmal erzählte sie Sarema von den Wunden in Körper und Geist, die sie zu sehen bekam und nicht zu heilen imstande war.

Bevor Aslambek verschwand, war Lisa noch einmal schwanger geworden, doch das sollte sie Sarema erst erzählen, als diese sie bleich und verschreckt vor Sulimas Türe wiedersah.

»Was?«, fragt Emma. »Wieso? Luise kriegt noch ein Kind? In ihrem Alter?«

Luzie verdreht die Augen, schaut ihren Vater an und lacht schon wieder. Was gibt es da denn zu lachen, denkt Emma und fragt sich, warum auch Hansi und Emine vor sich hin grinsen.

Ist das dann auch ihr Enkel, wenn die Ex-Schwiegertochter von einem anderen ein Kind kriegt? Natürlich nicht. Ein italienischer Enkel, das hat ihr gerade noch gefehlt. Na ja, Luzie ist ja auch fast schon Italienerin, aber immerhin hat sie zwei österreichische Eltern. Emma schüttelt den Kopf und schenkt sich Kaffee nach. Was es heutzutage alles gibt, denkt sie. Da kriegt eine mit fast 40 noch ein Kind. Und alle finden das irgendwie gut.

»Nicht Luise«, sagt Hansi so nebenbei.

»Wer denn?«, fragt Emma und versteht immer noch nicht. Und dann versteht sie. Und wird blass. Ihr Hansi und die Türkin. Einen Türkenbankert kriegt sie als Enkel. Und das wird wirklich ihr Enkel, weil Hansi der Vater ist. Was soll sie jetzt machen?

»Wir kriegen ein Kind!«, sagt Emine voller Freude und streichelt ganz ungeniert ihren Bauch, den man in den engen Jeans eigentlich gar nicht sieht.

Muss sie sich jetzt freuen, muss sie gratulieren, Emine vielleicht gar umarmen, küssen, Sekt servieren, den sie natürlich gar nicht zu Hause hat?

»Aha«, sagt Emma und denkt fieberhaft nach. Und dann fällt ihr ein, dass Hansi und Emine gar nicht verheiratet sind.

»Ihr seid ja gar nicht verheiratet!«, sagt sie triumphierend und löst noch einen Lachanfall bei Luzie aus.

»Oma, du weißt aber schon, dass man auch ein Kind machen kann, wenn man nicht verheiratet ist?«, sagt der 14-jährige Fratz, und Emma würde ihr am liebsten eine schmieren! Was sie natürlich nicht tut.

»Also wie ist das jetzt?«, fragt sie stattdessen Emine und Hansi.

»Also«, antwortet Hansi. »Emine will nicht heiraten, also heiraten wir halt nicht.«

»Das geht doch nicht«, sagt Emma.

»Das geht schon«, sagt Emine und hat schon wieder so ein Grinsen im Gesicht, als sei Emma ein bisschen zurückgeblieben und sie eine nachsichtige Erwachsene, die einem Kind erklären muss, wie das Leben so ist.

»Was sagen denn da deine Eltern dazu?«, versucht Emma es noch einmal. Und denkt bei sich, wie das sein wird mit einem türkischen Enkelkind. Großfamilie und Teppiche und alle schreien durcheinander und ihr Enkelkind mittendrin. Und sie, wo bleibt sie da? Nichts wird sie von einem Türkenbankert haben, nichts, nur eine schlechte Nachred'.

»Und warum willst du nicht heiraten, damit das Kind einen Namen hat?«

»Der Bub wird meinen Namen haben«, sagt Emine sehr bestimmt und lächelt Hansi an. Und der schaut ganz verliebt auf das Mädel mit der kurzen schwarzen Stachelfrisur und den engen Jeans und scheint gar nichts dagegen zu haben, dass sein Sohn türkisch heißen soll.

»Und woher wisst's ihr, dass es ein Bub wird?«

»Wissen wir nicht, wär aber nett – für die Luzie. So ein kleiner Bruder ist doch was Feines, aber eine kleine Schwester wär ihr auch recht, sagt sie, und uns natürlich auch«, sagt Emine energisch.

Jetzt hat sich der schon wieder eine Frau wie die Gisela gefunden, denkt Emma. Eine, die alles bestimmt. Bei der er nichts zu sagen hat. Und sie als seine Mutter schon gar nicht. Und natürlich wird's in der großen türkischen Familie so viele Tanten und Schwestern geben, dass sie das Enkerl nie zu sehen kriegen wird, so wie die Luzie, die ja auch nur zu ihr kommt, wenn der Hansi sie zwingt, weil sie sagt, die Oma beschwert sich dauernd über irgendwas. Dabei beschwert sie sich doch nicht, sie sagt halt nur offen ihre Meinung. Dass die Luzie viel zu italienisch ist – und dass sie kein Türkenenkerl will, schon gar kein uneheliches.

»Also wie ist das denn mit deinen Eltern?«, fragt sie Emine. Und die antwortet ganz ruhig, dass sie da schon eine Lösung finden werde.

Saremas Traum

Sie sitzt in einer großen hellen Küche an einem schönen großen Holztisch und dreht Teigröllchen in Honig. Einen fast mannshohen Kuchen will sie heute machen – eines jener Wunderwerke, wie man sie vor den großen Festen auf dem Markt zu kaufen kriegt, der aber viel besser schmeckt, wenn man ihn selbst herstellt. Die Teigröllchen muss sie drehen und backen und dann zusammenbauen und mit viel flüssigem Honig übergießen.

Heute ist Schamils großer Tag. Er macht Matura. In der Schule in Wien. Und bekommt ein Stipendium. Und wird Medizin studieren. So wie seine Tante Lisa. In Wien. Und sie bäckt für ihn einen großen tschetschenischen Kuchen. Und später werden Freunde kommen und mit ihr und Schamil zusammen feiern.

Und dann werden sie hinausfahren in den Wienerwald und auf einer Wiese harte Eier und Hühnerbeinchen und Kirschen essen und Ball spielen.

Sie fühlt sich wohl, ruhig, zufrieden. Ein wenig traurig auch. Wären doch Ramsan und Magomed noch da. Das namenlose Mädchen wäre jetzt auch schon eine hübsche freche Halbwüchsige, die die Brüder ein wenig terrorisieren und ein wenig verhätscheln würden. Wäre sie doch in den Bergen, zu Hause. Sie würde in den Wald gehen und Bärlauch sammeln, den sie so gerne ins Essen mischt. Und mit den Nachbarinnen den neuesten Tratsch austauschen.

Plötzlich ist sie nicht mehr in der großen hellen Küche und auch der Kuchenteig ist verschwunden.

Sie steht auf der Straße vor Evas Haus. Und hat Angst. Aus dem Augenwinkel sieht sie einen Schatten.

Und weiß, dass er es ist.

Sie will davonrennen – und kann sich nicht bewegen.

Sie will schreien – und bekommt keinen Ton heraus.

Das Tor geht auf und Eva und Basil kommen heraus.

Basil zerrt Schamil an einem Ohr hinter sich her und schreit.

Was er schreit, kann sie nicht hören, aber sie weiß, dass sie Schamil beschützen muss. Aber immer noch kann sie sich nicht bewegen und im Nacken spürt sie plötzlich einen heißen Atem und dann hört sie die Stimme: »Ich weiß, wo ich ihn finde, deinen Sohn!«

»Schamil!«, schreit sie, und endlich kann sie sich bewegen, kann rennen, dorthin, wo gerade noch Basil ihren Sohn am Ohr hinter sich hergezerrt hat.

Aber plötzlich sind sie nicht mehr da. Und sie befindet sich in einem dunklen Gang, von dem rechts und links unzählige dunkelgraue Türen abgehen.

Hinter einer Türe meint sie Schamil schreien zu hören, aber sie kann keine der Türen öffnen und weiß nicht, wo die Schreie herkommen.

»Du lügst«, hört sie plötzlich direkt neben sich eine andere Stimme sagen.

»Du lügst, du willst uns betrügen – mach, dass du weg kommst, du Lügnerin, du Hure!«

»Schamil!«, schreit sie noch einmal. »Schamil, nein, Hilfe!«

Vor ihr der lange dunkle Gang. Ohne Licht. Ohne Ende. Und sie rennt und rennt und spürt ihre Beine nicht mehr und keucht und bekommt keine Luft mehr und glaubt, dass ihr Kopf und ihr Herz jeden Moment zerplatzen.

Und wacht auf in dem Kämmerchen neben dem Tor in dem Haus, das jetzt Eva und Basil gehört.

Weg, denkt Sarema, weg!

Keine Hochzeit

Ein Türkenbankert und noch dazu unehelich.

Emma versteht die Welt nicht, oder besser, sie versteht ihren Hansi nicht. Was soll sie denn ihren Freundinnen sagen, mit denen sie sich einmal in der Woche im Kaffeehaus trifft?

Und was wird die Frau Pospischil sagen, die Nachbarin, mit der sie immer ein bisserl tratscht, wenn sie vom Einkaufen kommt?

Und was soll sie dem Berti, ihrem Friseur, erzählen, bei dem sie einmal im Monat ist und der sie immer fragt, wie's »dem Herrn Gemahl« und dem »Herrn Sohn und der Schwiegertochter« denn geht und wann's wieder »was Kleines« gibt.

Dem Berti kann sie doch unmöglich sagen, dass ihr Hansi bald Vater eines unehelichen Türkenbankerts wird. Der Berti ist da sehr streng, hat er gesagt. Eine Kundin hat er deshalb sogar hinauskomplimentiert – weil sie schwanger war ohne Ring.

Was die Pospischil sagen wird, will sie sich gar nicht ausmalen, und den Kaffeeschwestern kann sie das sicher auch nicht erzählen.

Uneheliches Türkenbankert.

Zwei Tage später ruft Emine an. Das hat sie noch nie gemacht. Sie kommt manchmal zusammen mit dem Hansi auf Besuch, aber dass sie Emma anruft, das ist noch nie vorgekommen. Es wird ein großes Fest geben, sagt Emine. Als Hochzeitsersatz quasi.

Ein türkisches Fest, denkt Emma, na, das kann was werden.

Ihre ganze Familie wird da sein, sagt Emine und lacht fröhlich. Da wird was los sein. Und es wird viel zu essen geben und Musik und alle freuen sich schon sehr darauf, sie, Emma, kennenzulernen, sagt Emine auch. Aber Hochzeit ist das eben keine, denkt Emma und überlegt, was sie zu so einem Fest anziehen soll.

»Und Luzie kommt natürlich auch aus Turin«, sagt Emine und lacht wieder. Was die so lustig findet an der ganzen Sache? Emma ärgert sich. Über ihren Hansi, über Emine und über das türkische Fest. Was soll sie denn überhaupt bei einem türkischen Fest? Und den Onkel Franz, den Bruder vom Georg, und seine Frau kann sie ja zu so was auch nicht einladen. Und die Cousine Traudl aus Salzburg. Die war bei der Hochzeit vom Hansi mit der Luise und hat den ganzen Tag lang nur gekeppelt und alles schlechtgemacht. Na, die würde sie gern bei einem türkischen Fest sehen, das wär' was, denkt Emma und muss sogar lachen, obwohl ihr eigentlich gar nicht zum Lachen zumute ist.

»Und deinen Eltern macht das nix, dass ihr nicht heiratet?«, fragt sie Emine – und die grinst schon wieder und sagt, das habe sie schon geklärt mit ihren Eltern, der Hans und sie seien sehr glücklich miteinander, so wie es jetzt sei, und dem Kind werde es ganz wunderbar gehen bei ihr und dem Hans und mit den vielen Tanten und Onkeln und mit ihr, Emma, die sicher eine wunderbare Oma für das Baby sein werde, nicht wahr?

Am nächsten Abend steht der Hansi plötzlich im Wohnzimmer. Mit einem Tablett voller Schaumrollen – und zwei Punschkrapferln. Das ist nämlich ihre Lieblingssüßigkeit. Bei Punschkrapferln wird sie immer schwach. Nicht bei den großen, unförmigen, die sie in den meisten Kaffeehäusern anbieten. Die sind ihr zu viel. Aber die kleinen feinen, die es nur beim Heiner in der Innenstadt gibt, für die würde sie so manches tun. Punschkrapferln sind deshalb bei jedem Geburtstag und zu allen anderen Feiertagen Pflicht. Aber heute ist kein Feiertag, und Geburtstag hat sie auch nicht. Was ist also der Anlass?

Der Hansi druckst herum und dann spuckt er's aus: Es geht um das türkische Fest. Sie muss da hinkommen, sagt er und stellt die zwei Punschkrapferln vor sie hin. Das ist ganz wichtig für ihn und Emine und Luzie und das neue Baby, sagt er auch. Sie muss auch gar nichts machen oder mitbringen oder organisieren oder bezahlen. Nur da sein soll sie bitte, weil der Papa Georg ja nicht dabei sein kann und er doch nicht vor Emines Familie dastehen will wie ein armer Schlucker, der niemanden hat. Vielleicht kann sie ja auch den Onkel Franz und seine Frau überreden und die Cousine Traudl? Mit seinen Cousins hat er schon geredet, sagt Hansi, und fast erkennt sie ihn nicht wieder, und die seien alle begeistert und würden auch kommen. Nur der Ernst, der bei der Polizei ist, hat gemeint, mit dem Türkengesindl will er nichts zu tun haben, sagt der Hansi auch und schaut ganz böse. »So ein Trottel«, sagt er dann, auf den könne man sowieso verzichten, der würde eh nur die Stimmung verpatzen. Emma weiß nicht, was sie sagen soll, und denkt heimlich, dass der Ernst ja gar nicht so blöd ist, wie sie immer geglaubt hat – immerhin der Einzige, der's sagt, wie's ist. Aber sie kann doch ihren Hansi in so einer Situation nicht allein lassen, nicht wahr? Da muss sie halt hingehen zu diesem schrecklichen türkischen Fest – und das wird alles so peinlich und fürchterlich werden, lauter türkisches Essen, das ihr nicht schmeckt, und zahllose Leute, die sie nicht kennt und die wahrscheinlich alle nur türkisch reden, und sie wird dazwischensitzen und sich vorkommen wie bestellt und nicht abgeholt.

Denkt Emma und sagt zum Hansi, dass er sich keine Sorgen machen soll und sie natürlich hinkommt, auch wenn's ihr schon wichtig gewesen wäre, dass er die Emine heiratet, wenn die doch sein Kind kriegt, und dass sie nicht versteht, warum die Emine nicht heiraten will.

»Weil sie schon einmal verheiratet war«, sagt Hansi und lächelt verträumt. Und das sei keine angenehme Erfahrung gewesen für Emine und deshalb wolle sie das nicht noch einmal über sich ergehen lassen, und er mit seinen zwei gescheiterten Ehen sei ja auch kein wirkliches Vorbild und deshalb hätten sie beide beschlossen, dass sie das alles lieber bleiben lassen und so, wie sie sind, mit ihrem Baby glücklich werden wollen. »Und was sagt der Papa?«, fragt Emma in höchster Not, aber Hansi meint nur, dem hätten sie nur von dem Baby erzählt und jetzt hoffe er, dass es ein Bub werde, damit er einen Enkelsohn zur Enkeltochter dazubekomme, und alles andere sei ihm egal, er habe nicht einmal gefragt, ob sie heiraten.

Typisch Georg, die wirklich wichtigen Dinge interessieren ihn gar nicht. Er kann ja auch gut nicht nach der Hochzeit fragen, schließlich liegt er gemütlich im Pflegeheim und lässt sich bemuttern und auf alle schwierigen Fragen oder Themen sagt er immer nur, er sei krank und könne sich mit diesen Problemen nicht beschäftigen. Der Feigling. Weil er Angst hat, der Hansi und die Emine könnten böse sein und ihn nicht mehr besuchen kommen. Deshalb fragt er gar nicht. Noch dazu, wo er eh nicht zur Hochzeit kommen könnte, genauso wenig wie zum türkischen Fest, oder?

Natürlich wird sie kommen, sagt Emma laut zum Hansi und gibt ihm mehrere Dankesbussis für die Punschkrapferln.

Sogar ein neues Kleid wird sie sich kaufen und Schuhe und eine Tasche, nur für das türkische Fest, sagt Emma auch, und der Hansi hebt sie vor lauter Freude auf und dreht sie einmal im Kreis.

Verschwinden

Blass und übermüdet und mit einem ganz winzigen Bäuchlein, das Sarema nur wahrnahm, weil sie ihre zarte kleine Schwester sehr gut kannte, stand Lisa also eines Nachts vor der Tür und zitterte.

Sarema zog sie ins Haus und machte in der Küche Licht. Noch bevor Lisa etwas sagen konnte, stellte sie den Topf mit der vom Abendessen übrig gebliebenen Hühnersuppe auf den Herd und schnitt Brot in dicken Scheiben ab. Ihre kleine Schwester machte den Eindruck, als habe sie seit Tagen nichts mehr gegessen und sei völlig erschöpft. Und als sei sie wieder schwanger. Lisa allerdings saß wie versteinert am Küchentisch und sagte kein Wort. In ihrem schmalen blassen Gesicht zeichneten sich die dunklen Ringe unter den Augen wie schwarze tiefe Löcher ab, und ihr Mund war so fest zusammengepresst, dass Sarema den Wunsch verspürte, ihn mit den Fingern auseinanderzuzwingen, um Lisa irgendeine Art von Regung zu entreißen. Aber Lisa war sprachlos und kalt. Von Zeit zu Zeit zitterte sie am ganzen Körper, um dann wieder in völliger Starre zu verharren.

Sarema stellte einen Teller Suppe und einen dicken Kanten Brot vor sie hin, und weil Lisa keine Anstalten machte, die Speisen anzurühren, nahm Sarema den Suppenlöffel und begann, ihre kleine Schwester zu füttern. So wie früher, als Lisa noch ein Baby und Sarema schon ein Mädchen gewesen war und die Große die Kleine manchmal fütterte, wenn die Mutter müde oder überarbeitet gewesen war. Und erstaunlicherweise öffnete Lisa den Mund und schluckte brav, was ihr Sarema hineinschob.

Nach ein paar Löffeln Suppe begann Lisa zu weinen. Ganz leise, ohne zu schluchzen, ohne etwas zu sagen, flossen ihr die

Tränen die eingefallenen Wangen hinunter, in den Löffel mit der heißen Suppe und auf das Stück Brot, das Sarema ihr hinhielt. Flossen und flossen, während Lisa weiter wie versteinert dasaß und mechanisch einen Löffel Suppe nach dem anderen hinunterschluckte, als sei sie eine Puppe.

Irgendwann weinte Sarema dann mit. Schamil schlief zum Glück schon, und auch Sulima und Basil und Eva waren längst schlafen gegangen. Und so saßen die Schwestern in der Küche, und ihre Tränen liefen wie ein unendlicher Fluss, der sich nicht kümmert um das, was den Menschen geschieht.

Später bereitete Sarema ihrer kleinen Schwester ein Bett auf dem Diwan in der Küche, zog ihr die vor Schmutz starrenden Kleider aus und deckte sie mit ihrer eigenen Daunendecke zu, die sie aus dem Zimmer holte, in dem sie mit Schamil schlief. Und endlich, als sie im Bett lag und von ihrer Schwester zugedeckt wurde wie ein kleines Kind, begann Lisa zu sprechen.

Er sei zum Markt gefahren, weil sie kein Obst mehr im Haus gehabt hätten und sie doch wieder ein Kind erwarte und Obst essen solle, so hatte er gesagt. Am Tag davor war er wieder einmal nachts in die Berge gefahren. Schon seit einiger Zeit hatte er den Untergrundkämpfern medizinische Hilfe geleistet. Lisa wusste das, hatte Angst gehabt, hatte ihn angefleht, es nicht zu tun, um ihretwillen und um des Kindes willen, das sie auszutragen hoffte. Er aber hatte gesagt, er habe als Arzt nun einmal geschworen, Menschen, die krank oder verletzt seien, zu helfen, und diesen Schwur könne er nicht vergessen. Und die verwundeten Untergrundkämpfer seien eben auch Menschen, die seiner ärztlichen Hilfe bedurften. In den Nächten, die er oben in den Bergen verbrachte, hatte Lisa zitternd wach gelegen, auf jedes Geräusch gelauscht und bei jedem Hundegebell gedacht, nun kämen sie. In diesen Nächten war sie sicher gewesen, ihn nie wieder zu sehen, und jeden Morgen, wenn er wieder aufgetaucht war, hatte sie ihn verflucht und geküsst und beschworen, es nie wieder zu tun. Und doch hatten sie ihn immer wieder zu Verwundeten oder Kranken geholt, und er war jedes Mal ganz selbstverständlich mitgegangen. So einer sei er eben, sagt Lisa und die Tränen rinnen, als kämen sie nicht aus ihr heraus, sondern von ganz weit weg.

Heute sei er ganz einfach wie ein guter Familienvater zum Markt gefahren. Und nicht zurückgekommen. Und als Lisa ihm entgegenlaufen wollte, hatten sie die Nachbarn aufgehalten und ihr geraten, ganz schnell wegzugehen aus ihrem Haus und aus dem Ort. Die Nachbarn hatten gesehen, wie bewaffnete, maskierte und uniformierte Männer in einem Geländewagen vor dem Markt gehalten hätten. Sie seien zu fünft gewesen und nach kurzer Zeit mit Aslambek in der Mitte zurückgekommen. Geschleppt hätten sie ihn, und er habe sich kaum gerührt, sein Gesicht sei blutverschmiert gewesen und die Maskierten hätten ihn wie einen Sack Kartoffeln in den Geländewagen geworfen, dann seien sie auch hineingesprungen und weggefahren. Und Lisa wisse ja wohl nur zu gut, was das auch für sie heiße, hatten die Nachbarn gesagt und sie weggeschubst, zum Ende der Straße hin. Laufen solle sie, hatten sie ihr zugeflüstert, bevor sie sich in ihre Häuser zurückgezogen hatten – und Lisa war gerannt. Gerannt, bis sie bei Sulimas Haus angekommen war.

Zwei Tage später hatte Lisa auch dieses Kind verloren. Sie war am Morgen in einer Blutlache aufgewacht, Sarema hatte sie gefunden und war hinausgestürzt zur Nachbarin Zalichan. Denn Lisa hatte es abgelehnt, ins Krankenhaus zu gehen. Unter Schmerzen und Tränen hatte sie Sarema erklärt, was geschehen würde, wenn sie ins Spital kam. »Die« würden sie dort aufspüren und mitnehmen, stöhnte Lisa, und Sarema schwieg und rannte zur Nachbarin. Zalichan war eine Kräuterfrau und die Leute munkelten, dass sie schon so manches Problem gelöst habe – vor allem, wenn die in der letzten Zeit immer häufiger werdenden Vergewaltigungen Grund des Problems waren. Jetzt aber hoffte Sarema, dass Zalichan Lisas Kind retten könnte.

Nachdem Sarema ihr keuchend und weinend erklärt hatte, was geschehen war, öffnete Zalichan ganz ruhig ihre Truhe und stöberte in den Dutzenden Leinensäckchen, die darin verstaut waren, wählte dann einige aus, legte sie in einen Korb und nickte Sarema kurz zu. Sie war eine große, hagere Frau mit zerfurchtem Gesicht. Sarema dachte, dass sie schon sehr alt sein müsse, wusste aber von der Tante, dass Zalichan noch nicht die 50 erreicht hatte. Aber wie alle Frauen in Tschetschenien hatte sie Unerträgliches erlebt, fast ihre ganze Familie, bis auf eine entfernte Cousine, durch Krankheit, Krieg oder Mord verloren und war dabei weit über ihre Jahre hinaus gealtert. Sie war nicht gestorben, weil man sie brauchte in dieser kaputten Nachbarschaft, in der es sich die Frauen aus vielen Gründen nicht leisten konnten, einen Arzt oder gar ein Krankenhaus aufzusuchen. Sie ging mit ihren Kräutern zu ihnen und half, wo sie konnte.

Und jetzt marschierte sie entschlossen vor Sarema her und murmelte etwas, was diese nicht verstand.

In Sulimas Haus angekommen, befahl sie, Wasser heiß zu machen und saubere Tücher bereitzulegen. Dann betrat sie das Zimmer, in dem Lisa lag, und warf Sarema, Sulima und die Nachbarinnen mit einer einzigen Geste und einem durchdringenden Blick hinaus.

Drei Stunden später öffnete sie die Türe, deutete mit ihrem Kinn auf Sarema und verließ das Haus. Lisa war weiß wie das Leintuch auf dem Sofa und hielt die Augen geschlossen, als Sarema den Raum betrat. Als die Schwester ihre Hand nahm, ging ein leichtes Zittern durch ihren Körper und sie flüsterte: »Es war nichts zu machen.«

Nachdem Lisa das Kind verloren hatte, verschloss sie sich so tief in sich selbst, dass es Sarema manchmal schien, als sei sie gar nicht vorhanden. Als sie sich etwas erholt hatte, begann sie im Haushalt zu arbeiten. Niemand bat sie darum, sie aber begann zu schrubben und zu waschen, zu flicken und zu reparieren.

Sarema und die Tante sahen ihr zu und wussten nicht, was sie mit Lisas Arbeitswut tun sollten. Essen bereitete sie nicht zu, sie aß selbst auch kaum etwas, saß nur schweigend bei Tisch und nippte an einer Tasse Tee, die sie stets neben sich stehen hatte. Sarema hätte ihr gerne geholfen – wenn sie nur gewusst hätte wie.

Und Lisa las. Dünne Broschüren, von denen Sarema nicht wusste, woher sie kamen, lagen stets neben ihr, und wenn sie nichts im Haus zu tun hatte, vertiefte sie sich in diese Bändchen.

Sie sprach kaum mit Sarema, Schamil oder Sulima, wich Basil und Eva aus und wurde immer dünner und blasser. Das Haus verließ sie nie.

Sarema aber musste dafür sorgen, dass das Leben weiterging, dass Sulima, Schamil und Lisa zu essen und zu trinken, Kleider und Schuhe hatten, und dass Basil und Eva nicht zu unverschämt wurden und der Tante das letzte Geld und die letzten Kostbarkeiten herauslockten.

So lebten sie einige Wochen, und in den kurzen Momenten, wo sie Zeit zum Verschnaufen fand, fragte sich Sarema, was aus Lisa werden sollte. Sie fand es seltsam, dass Lisa keinen Versuch gemacht hatte, ihren Mann zu finden, aber jedes Mal, wenn sie mit der Schwester darüber sprechen wollte, hatte diese nur müde abgewinkt und den Raum verlassen.

Es war ein milder, freundlicher Herbsttag, als die Katastrophe über sie hereinbrach. Sarema war mit Schamil zu einer entfernten Verwandten in die Berge nach Schatoi gefahren. Der Bub war zart und blass, und Sarema hatte gedacht, es würde ihm guttun, ein paar Stunden im Wald auf der Suche nach Bärlauch zu verbringen, den sie als Ergänzung ihrer mageren Lebensmittelvorräte gut brauchen konnten. Sie hatten einen wunderbaren Tag verbracht – nicht ahnend, dass sie dem Tod nur durch Glück entgangen waren und dass wenige Tage später ausgerechnet Zalichan, die so vielen geholfen hatte, ganz in der Nähe auf so grausame wie sinnlose Art ums Leben kommen sollte.

Wie Sarema war auch Zalichan mit einigen anderen Frauen zum Sammeln von Bärlauch in den Bergen unterwegs, als sie auf eine Gruppe bewaffneter Männer stießen. Was dann genau geschah, konnte nie festgestellt werden – die Bewaffneten jedenfalls waren Männer des grausamen Präsidenten und hielten die Frauen mit ihren Plastiksäcken voller frischem Bärlauch für Kuriere der Untergrundkämpfer. Das behaupteten sie zumindest, nachdem sie Zalichan und zwei weitere Frauen erschossen und die vierte schwer verletzt liegen gelassen hatten. Als die Frauen nicht zurückkehrten, machten sich einige Männer aus dem Dorf auf die Suche und brachten die Leichen und die Verletzte zurück. Die Empörung war groß, die Trauer unendlich und der Schmerz nicht zu ertragen.

Die Bewaffneten waren bald ausgeforscht, und es stellte sich heraus, dass sie ganz offiziell in den Bergen unterwegs waren, um Untergrundkämpfer zu jagen. Und weil sie im Auftrag des grausamen Präsidenten handelten, war bald klar, dass niemand sie je zur Verantwortung ziehen würde. Zalichan und die beiden anderen wurden begraben, die schwer verletzte Frau ins

Spital nach Grosny gebracht, wo sie wenige Wochen später starb. Und wer über das Geschehene zu sprechen wagte, wurde alsbald vorgeladen und mit Gefängnis bedroht.

An dem Tag hingegen, als Sarema mit Schamil unterwegs war, durchkämmte die Truppe auf der Jagd nach Untergrundkämpfern gerade einen anderen Abschnitt des Waldes, sodass die beiden einen fröhlichen und ungewöhnlich ruhigen Tag verbringen konnten.

Als sie am Abend zurückkehrten, sah Sarema bereits aus der Ferne, dass das Hoftor weit offen stand, und spürte plötzlich eine große Kälte. Direkt hinter dem Tor fand sie Sulima, die zusammengesunken in einer Ecke kauerte und Unverständliches vor sich hinmurmelte. Mehrere Nachbarinnen knieten und standen um sie herum, versuchten, sie zu beruhigen und dazu zu überreden, sich ins Haus bringen zu lassen. Sulima aber saß steif wie ein Stock an die Mauer gelehnt, atmete schwer und schien unfähig, sich zu bewegen. Basil und Eva waren nirgends zu sehen.

Erst nachdem sie Sulima mithilfe der Nachbarinnen mühsam ins Zimmer gebracht, sie in eine dicke Steppdecke gewickelt und ihr süßen heißen Tee eingeflößt hatte, war diese wieder in der Lage, zu sprechen. Und dann erzählte sie.

Sie seien zu Mittag gekommen, als Sulima gerade aß und Lisa ihr Gesellschaft leistete.

Fünf große Männer, in Uniform und maskiert.

Sie hätten das Hoftor aufgerissen, einer habe Lisa gepackt und festgehalten, der zweite habe seine Pistole auf ihren, Sulimas, Kopf gerichtet, und die übrigen drei seien durch das Haus getrampelt, hätten Laden herausgerissen, Truhen geöffnet, Geld und Schmuck an sich gerafft, Lisas Bücher in einen Polsterüberzug gesteckt – und dann Lisa zu zweit hinausgeschleppt zu ihrem Jeep, der vor dem Hoftor wartete. Sie hätten Lisa und den Sack mit Büchern hineingeworfen und Sulima, die sich an die Beine des Anführers geklammert und geschrien hatte, sie sollten ihr Mädchen in Ruhe lassen, mit einem Gewehrkolben vor die Brust gestoßen. Sie war gestürzt und konnte erst später von den Nachbarinnen in den Hof gebracht werden.

Und niemand, niemand hatte helfen, sie beschützen, das Unvorstellbare verhindern können.

Suche

Erst als Sulima erschöpft auf dem Diwan eingeschlafen war, wurde Sarema bewusst, was geschehen war – und was ihrer kleinen Schwester noch geschehen würde. Und dass sie, Sarema, die Einzige war, die sie vielleicht noch der Hölle entreißen könnte.

Die Nachbarinnen waren nach Hause gegangen. Schamil, verstört von dem Gesehenen und Gehörten, hatte sich lange nicht beruhigen können, war dann aber irgendwann doch eingeschlafen. Jetzt saß Sarema alleine im Hof und versuchte nachzudenken. Sie musste Lisa freikaufen.

Sie hatte schon öfter Frauen davon reden gehört. Man konnte Menschen, die die Maskierten mitgenommen hatten, freikaufen. Wenn man nur genug Geld zusammenbekam und es dem richtigen Mann brachte. Es waren immer Männer, die über Leben und Tod entscheiden konnten. Woher aber sollte sie das Geld nehmen? Und wer konnte helfen?

Saremas Gedanken drehten sich im Kreis um diesen einen Punkt. Wer?

Die ganze Nacht saß sie so, und am nächsten Morgen ließ sie Schamil bei Sulima und besuchte die Nachbarinnen. Eine nach der anderen fragte sie um Rat. Und jede nannte ihr andere Namen. Doch ein Name, seiner, war immer dabei.

Am Abend bat sie Eva, ihr Geld zu leihen. Sie sagte nicht, wofür sie das Geld brauchte, sie versprach nur, es auf dem Markt, wo Eva inzwischen zu den Reichen gehörte, abzuarbeiten. Und obwohl sie nicht geglaubt hatte, dass Eva ihr helfen würde, erklärte sich diese bereit, ihr das Geld zu geben. Sarema könne es natürlich auf dem Markt abarbeiten, müsse ihr aber vor allem auch das große Zimmer überlassen und mit Schamil in das Kämmerchen neben dem Tor ziehen, weil sie, Eva und Basil, mehr Platz bräuchten.

Sarema stimmte auch dem Zimmertausch zu.

Bei der Miliz gab man ihr keine Auskunft. Man wisse nichts über den Verbleib ihrer Schwester und man wisse auch nicht, wer die Maskierten gewesen sein könnten, die diese angeblich verschleppt hatten. Man könne ihr nicht helfen, sie möge es gut sein lassen, sie solle nicht weiter nachfragen, wenn sie sich nicht selbst in Gefahr bringen wolle.

Sarema ging nach Hause und machte weitere Besuche bei den Nachbarinnen. Und wieder nannte man ihr seinen Namen und sagte, er habe schon mehrere Verschwundene wieder auftauchen lassen, er könne helfen, wenn er nur genug Geld bekomme.

Drei Tage stand sie in der Schlange vor dem Amtshaus, in dem der Mann arbeitete. In diesen drei Tagen hörte sie viele Geschichten, die an Wunder grenzten. Er habe einen wieder hergezaubert, den seine Frau schon für tot gehalten habe. Er wisse alles und könne alles, man müsse nur die richtigen Worte finden und natürlich genügend Geld mitbringen.

Sarema zählte im Geist die Scheine, die sie in ein Tuch eingeschlagen mit dem Pass der Schwester in ihrer kleinen, abgeschabten Handtasche trug. Sie wusste nicht, ob das von Eva geborgte Geld ausreichen würde, und überlegte, was sie tun würde, wenn der Mann ihr nicht helfen sollte. Wohin konnte sie sich dann noch wenden?

Sie hörte den anderen zu und versuchte zu erkennen, was sie dem Mann sagen müsste, damit er ihr Lisa zurückbrachte. Die Frauen in der Schlange sagten, dass man besser nicht weinen sollte, wenn man dem Mann sein Anliegen vortrug, er möge keine weinenden Frauen, keine verschwollenen Augen und roten Nasen. Die Frauen in der Schlange sagten auch, dass er hübschen, jungen Frauen immer gerne nachsehe – und wieviel Glück sie, Sarema, doch habe, denn sie sei beides, hübsch und jung. Sie sah auch, dass die, die ihr dieses Kompliment machten, sie gleichzeitig traurig und sorgenvoll von der Seite ansahen, sobald sie sich wegdrehte. Aber sie wollte nicht daran denken, was das bedeuten könnte.

In der Schlange sprach man über die Verschwundenen, die Verschleppten, als wären sie nur für einen Moment aus dem Haus gegangen. Über Söhne, die vom Unterricht an der Universität nicht mehr nach Hause gekommen waren, über die eine oder andere Tochter, die geholt und nicht mehr zurückgebracht worden sei. Hinter vorgehaltener Hand sprach man auch von anderem und behielt dabei die Wachposten vor dem Haus immer im Auge.

Eine Frau erzählte vom Schicksal der 16-jährigen Tochter einer Nachbarin. Einer der Männer des Präsidenten hatte Gefallen an ihr gefunden. Von höchster Stelle hatte man der Familie bedeutet, sie möge einer Heirat zustimmen, andernfalls werde man das Leben der übrigen Söhne und Töchter zur Hölle machen. Die Eltern und Großeltern hatten dem Mädchen also erklärt, dass sie um ihrer aller Leben willen den Mann zu heiraten habe.

Zwei Wochen später war das Mädchen eines Morgens vor dem Elternhaus gefunden worden. Übersät mit blauen Flecken, mit einem gebrochenen Arm, einem zugeschwollenen Auge und unfähig zu sprechen. Der Ehemann ließ wenig später wissen, er habe genug von dem Mädchen, sie sei »nichts wert« und er verstoße sie – was bedeutete, dass er sich von nun an als geschieden betrachten konnte. Die Familie des Mädchens aber galt als entehrt, und ihre Mitglieder wagten sich kaum noch unter Menschen.

Rund um Sarema nickten die Frauen in der Schlange traurig mit den Köpfen und flüsterten, dass sie derlei schon oft gehört hätten. Man wisse ja, was die Männer der Macht mit den Mädchen anstellten, und es sei eine Schande, aber helfen könne keiner, solange der grausame Präsident die Hand über seine Leute halte.

Sarema dachte, was wohl mit Lisa geschehen sein könnte, und drängte diesen Gedanken schnell in die hinterste Ecke ihres Gehirns.

Am dritten Tag war Sarema in der Schlange ganz nach vorne gerückt. Die vor ihr eingelassen worden waren, hatte sie nicht mehr gesehen, sie wurden, so murmelte man in der Schlange, durch einen Seitenausgang in eine andere Gasse hinausgeleitet.

Sie betrat das düstere Gebäude voller Angst, die sie nicht zu zeigen bemüht war. Man wies ihr den Weg zu jenem Mann, in dessen Hand Lisas Schicksal zu liegen schien. Sie ging eine Stiege hinauf, einen langen, dunklen Korridor entlang, dessen Wände etwas über mannshoch in dunklem Grün gestrichen waren, mit grauen Türen, die aussahen, als seien sie aus schwerem Metall.

Auf ihr Klopfen antwortete eine tiefe Männerstimme im Befehlston. Sarema öffnete die Türe und betrat den Raum. Es war ein enger Schlauch mit einem schmalen Fenster, das in einen dunklen Innenhof ging.

Ein breiter, langer Schreibtisch füllte fast den gesamten Raum aus. Der Mann saß mit dem Rücken zur einen Längswand unter einem fast lebensgroßen Bild des grausamen Präsidenten. Vor dem Schreibtisch befand sich ein zweiter Sessel. Auf den zeigte er jetzt und Sarema setzte sich.

Sie drehte ihre kleine Tasche, in der sich Lisas Pass und das Geld befanden, in den Händen und wusste nicht so recht, wie sie beginnen sollte. In dem Raum herrschte kurze Zeit brütendes Schweigen. Kein Lufthauch schien einzudringen, das grün-rot-weiße tschetschenische Fähnchen auf dem Schreibtisch hing traurig an seinem kleinen Mast. Der Mann sah Sarema an und brachte etwas wie ein Lächeln zustande. Er war groß und ziemlich dick, trug einen kleinen Schnurrbart und ölig zurückgekämmtes, dünnes Haar. Seine kleinen Augen wanderten über Sarema, als sei sie eine Ware, die es zu beurteilen galt – so zumindest fühlte sie sich. Mitten in das Schweigen hinein läutete der alte, schwarze Telefonapparat auf seinem Schreibtisch und der Mann antwortete. Seine Stimme klang jetzt ganz anders als vorhin, viel unterwürfiger, und Sarema schien, als ob er versuche, im Sitzen strammzustehen. Als er den Hörer aufgelegt hatte, fuhr er sie wieder mit jener Stimme an, die sie beim Hereinkommen gehört hatte.

Sarema fasste sich ein Herz und sprach: von Lisa, der armen kranken Schwester, die gerade ihr Kind verloren hatte, von den Maskierten, von ihrer Suche. Sie öffnete ihr Täschchen und zog Lisas Pass hervor und reichte ihn dem Mann.

Der Mann besah sich das Passfoto und meinte dann im selben rauen Ton, mit dem er sie ins Zimmer gerufen hatte, sie habe da wohl eine Strawanzerin zur Schwester, eine, die es sich gerne mit Männern gut gehen ließ.

Sarema glaubte, sich verhört zu haben, und wiederholte, was geschehen war.

Diese Schwester werde schon irgendetwas ausgefressen haben, antwortete der Mann und lachte auf eine Art, die Sarema eine Gänsehaut machte.

»Nein«, sagte Sarema, »nein!«

Plötzlich brüllte der Mann sie an, sie solle nicht lügen, wenn das Flittchen da – und er zeigte auf den Pass – verhaftet worden sei, werde das schon seine Gründe haben.

Sie wisse nicht, ob sie verhaftet worden sei, sagte Sarema und versuchte, ihrer Stimme einen festen Klang zu geben. Sie sei von unbekannten maskierten Männern aus dem Haus geholt worden.

Das behaupte sie, sagte der Mann plötzlich mit gefährlich leiser Stimme, aber woher solle er denn wissen, ob das wahr sei, was sie ihm da erzähle?

Die Nachbarinnen könnten es bezeugen, die Tante auch, sagte Sarema und fühlte sich hilflos.

Die würden viel bezeugen, wenn der Tag lang sei, sagte der Mann immer noch mit dieser leisen Stimme. Sie müsse ihn schon auf andere Art überzeugen.

Sarema verstand nicht.

Sie werde ja wohl noch wissen, was ein Mann von einer jungen, hübschen Frau, wie sie eine sei, erwarte, sagte der Mann plötzlich und versuchte ein einschmeichelndes Lächeln, das ihm nicht so recht gelang.

Sarema sah den Mann entsetzt an und zog das Päckchen mit dem von Eva geborgten Geld aus ihrer Tasche und schob es über den Tisch.

Der Mann sah kurz darauf, steckte das Geld in die Tasche und erklärte, dass es nicht genug sei.

Sarema sagte, dass sie im Augenblick nicht mehr Geld habe, dass sie aber versuchen werde, mehr aufzutreiben.

Das brauche sie nicht, sagte der Mann und lächelte wieder auf seine unangenehme Art. Es sei ja wohl egal, ob sie auf den Strich gehe oder ihn ein wenig verwöhne.

Plötzlich konnte Sarema es nicht mehr ertragen. Plötzlich begriff sie, dass dieser Mensch ihr niemals helfen würde, Lisa aus den Klauen der Maskierten zu retten. Plötzlich wollte sie nur noch so schnell wie möglich dieses Zimmer, diesen Korridor, dieses Gebäude verlassen und nach Hause rennen.

Als sie versuchte, aufzustehen, holte der Mann aus – und schlug ihr seine große Faust mitten ins Gesicht.

Flucht

In der rechten hinteren Ecke des Hofs stand ein Holzverschlag, in dem sich die Banja – das Dampfbad – befand.

Sarema und Schamil benutzten es einmal in der Woche, ebenso wie Sulima und Eva und Basil. An diesem Tag wurde der Badeofen geheizt und alle wuschen sich den Schmutz der Woche ab. Der Badetag war der Freitag, aber dienstags wurde Wäsche gewaschen und auch das geschah der Bequemlichkeit halber in dem alten Holzverschlag.

Wie sie bis in die kleine Holzhütte gekommen war, wusste Sarema später nicht mehr zu erklären. Sie spürte auch keine Schmerzen, obwohl ihr ganzer Körper die Spuren der Brutalität des Mannes trug und ihre Nase dick geschwollen war.

Sie verriegelte die Banja und riss sich die Kleider vom Leib, oder das, was von den Kleidern noch übrig war. Die zerfetzte Unterwäsche warf sie in den Ofen, dann füllte sie eine Schüssel mit kochend heißem Wasser und begann, sich den ganzen Körper mit einer harten Bürste und heißem Wasser abzureiben, um sich die grausamen Hände des Mannes und seinen bitteren Geruch vom Leib zu schrubben.

Sie bürstete und bürstete, bis die Haut aufzuspringen begann und das Blut sich mit dem brennend heißen Wasser vermischte. Und die ganze Zeit über hörte sie seine Stimme, die leise und drohend direkt an ihrem Ohr flüsterte, sie solle ja nichts erzählen, er wisse schließlich, wo sie und ihr Sohn zu finden seien.

Irgendwann rüttelte Eva an der verriegelten Türe. Sie müsse Wäsche waschen, rief sie durch das dünne Holz, heute sei doch Waschtag, was mache Sarema denn da, wieso habe sie sich eingesperrt.

Als sie die Türe öffnete, starrte Eva Sarema entsetzt an. Ihre Haut war rot und an vielen Stellen aufgeplatzt. Ihre hübsche kleine Nase war zu doppelter Größe angeschwollen und ihre Lippen waren aufgebissen. Sie habe einen kleinen Unfall gehabt, brachte Sarema keuchend heraus, sie sei ganz schmutzig gewesen und habe sich reinigen müssen, stotterte sie. Eva sah sie mitleidig an, legte ihr ein großes Tuch um und brachte sie ins Haus zu Sulima.

Und immer noch hörte Sarema die Stimme, die ihr zuflüsterte, er wisse, wo sie und Schamil zu finden seien.

Die Tante wurde sehr blass und schickte Schamil, der bei ihr gesessen hatte, hinaus in den Garten. Er sollte gewisse Kräuter pflücken und gründlich waschen, sagte sie sehr leise, aber bestimmt. Und Schamil, der nie besonders folgsam gewesen war, gehorchte nach einem erschrockenen Blick auf die Mutter widerspruchslos.

Eva brachte heißen, sehr süßen Tee und frische Kleider. Sulima half Sarema und begutachtete zugleich die Wunden an ihrem Körper. Sie sah die Spuren der brutalen Hände und erriet, was vorgefallen war. Und sprach aus, was Sarema noch gar nicht zu denken die Zeit gehabt hatte: dass sie und Schamil nicht hier bleiben konnten.

Eva hatte inzwischen ihren Waschtag begonnen und hörte nicht, was die beiden nun verabredeten. Sarema fand langsam ihre Sprache wieder und sagte, dass sie kein Geld habe, um wegzugehen. Die Tante schwieg. Schamil war inzwischen mit den Kräutern zurückgekommen und stand jetzt vor seiner durch den Faustschlag entstellten Mutter.

Sulima nahm die Kräuter und machte aus ihnen mit kaltem Wasser und einem sauberen Leinentuch eine Kompresse, die sie der halb bewusstlosen Sarema auf die geschwollene Nase legte.

Dann flößte sie ihr Tee ein, dem sie reichlich flüssigen Baldrian hinzugefügt hatte. Sarema schlief bald erschöpft ein.

Da stand die Tante auf, nahm den erschrockenen Schamil an der Hand und machte sich auf den Weg.

Aburachman war Magomeds Onkel und Sulimas Bruder und ein ebenso wohlhabender wie einflussreicher Mann in Grosny. Er hatte die Kriege im sicheren Moskau überlebt und sich nie um die Familie gekümmert. Auf Sarema und ihre Eltern war er nie besonders gut zu sprechen gewesen, diese schienen ihm nicht von ausreichendem gesellschaftlichem Rang, um sich mit ihnen verwandtschaftlich zu verbinden. Seine Schwester, die jetzt mit dem Sohn seines Neffen vor ihm stand, hatte ihm das übel genommen, weil sie Sarema schon ins Herz geschlossen hatte, bevor diese endgültig zu ihr gezogen war. Deshalb hatten sie es auch nicht gewagt, ihn wegen Lisa um Hilfe zu bitten. Er war zwar einflussreich, aber auch vorsichtig, und hatte mehrmals lauthals erklärt, dass er »Banditen« nie im Leben helfen würde.

Jetzt aber ging es um das einzige überlebende Kind seines Neffen. Aburachman war selbstverständlich verheiratet gewesen, wie sich das für einen anständigen Tschetschenen gehörte, aber er war kinderlos geblieben, was er selbstverständlich seiner Frau vorwarf. Diese war an den Vorwürfen und an gebrochenem Herzen früh gestorben, denn sie hatte Aburachman geliebt, obwohl er von den Ältesten für sie ausgesucht worden war. Aburachman wiederum hatte es danach abgelehnt, noch einmal zu heiraten, und sein Leben als Junggeselle durchaus zu genießen gewusst, obwohl ihm bekannt war, was hinter seinem Rücken gemunkelt wurde: Dass er eine gewisse Neigung zu jungen Männern habe und deshalb nicht mehr heiraten wollte. Das Gerücht hielt sich hartnäckig und Aburachman war gerade deshalb besonders bemüht, sich beim Präsidenten beliebt zu machen. Denn an dem Gerücht war durchaus einiges wahr, und hätte irgendwer irgendwann Beweise gefunden, wäre es Aburachman in diesem bigotten Land schlecht ergangen.

Auch das hatte dazu beigetragen, den Rest der Familie weit von dem unbequemen, wenn auch wohlhabenden und einflussreichen Onkel zu entfernen. Und dann war Magomed ums Leben gekommen und Aburachman hatte den Kontakt zur Frau seines getöteten Neffen nicht gesucht.

Sulima sagte ihrem Bruder nicht viel.

Sie brauche Geld und einen verlässlichen Menschen, der Sarema und Schamil in die Ukraine bringen könne, ohne dass ganz Grosny sogleich Bescheid wisse.

Aburachman kniff die Lippen zusammen und fand Ausreden. Er sei gerade finanziell etwas knapp und wisse nicht, wo er solch einen verlässlichen Menschen finden solle. Sulima sah ihn an und sagte, sie werde ihm nie im Leben Böses antun, er sei schließlich ihr Bruder. Die Umstände nötigten sie, sich an ihn um Hilfe zu wenden, wie er sich schon des Öfteren an sie gewandt habe, damals, als seine arme Frau noch am Leben gewesen sei.

Aburachman wurde blass und griff zum Telefonhörer.

Seine Frau hatte einst die Gerüchte über bestimmte Begegnungen ihres Gatten mit mehreren jungen Männern gehört und war voller Angst und Sorge zu Sulima gelaufen. Diese hatte sie beruhigt und ihr erzählt, der Bruder suche einen Mann für sie und treffe sich deshalb mit möglichen Heiratskandidaten. Aburachmans Frau, die ihre Schwägerin sehr schätzte, hatte erleichtert aufgeatmet und die Sache nie mehr erwähnt.

Zwei Tage später half Sulima Sarema, zwei große Taschen mit jenen Dingen zu packen, die sie und Schamil auf der Flucht brauchen würden; sie händigte ihr einen Umschlag mit Geldscheinen aus. Zuoberst in die eine Tasche legte sie Saremas dunkelgrauen Winterrock. Den hatte sie zuletzt an dem Tag getragen, als Lisa verschleppt worden war, und ihn am Hoftor zerrissen. Die Tante hatte ihn für sie geflickt und packte ihn jetzt mit ein.

Am Abend erschien ein großer, mürrisch dreinschauender, schweigsamer Mann und forderte Sarema und Schamil auf, mitzukommen. Sulima umarmte die beiden und drückte sie lange fest an sich. Und Sarema dachte plötzlich, dass ihr außer Schamil kein Mensch näher stehe als diese Tante ihres toten Mannes – und dass sie sie wahrscheinlich nie wieder sehen würde.

Während der langen Fahrt quer durch Russland bis an die polnisch-ukrainische Grenze weinte Sarema viele bittere Tränen.

Die Flucht war für Sarema eine einzige Abfolge beängstigender Ereignisse und unheilvoller Situationen. Da waren die Autos mit tschetschenischen Kennzeichen, vor denen sie sich im polnischen Flüchtlingslager tagelang mit Schamil in dem kleinen Zimmer versteckte, das man ihr zugewiesen hatte, weil sie fürchtete, ihren Peiniger in einem der Autos zu sehen. Da waren die anderen Flüchtlinge, die nicht müde wurden, Horrorgeschichten über jene zu erzählen, die in diesen Autos gekommen waren, um Leute zurückzuschleppen, mit denen sie offene Rechnungen hatten. Dann war da das Gefängnis in der Slowakei und der Fußmarsch bis zur österreichischen Grenze.

Man griff sie kurz nach der Grenze auf. Sarema trug ihre beiden Taschen und Schamil hielt sich an der einen Tasche fest. Beide waren durchgefroren und halb verhungert. Man hatte ihnen zu essen und zu trinken gegeben, sie nicht besonders freundlich verhört und dann weitergeschickt wie Pakete. Sarema hatte von vielen im Lager in Polen und im Gefängnis in der Slowakei gehört, sie solle nichts Unnötiges sagen, wenn man sie verhören würde. Was aber war unnötig?

Als man sie das erste Mal befragte, war da ein junger Mann, der für sie übersetzte. Freilich sprach er nicht Tschetschenisch, sondern Russisch, aber Sarema hatte ja die Schule auf Russisch besuchen müssen und deshalb keine Schwierigkeiten, sich mit ihm zu verständigen. Trotzdem begriff sie nicht alle Fragen und war voller Angst, wenn der Beamte, der ihr an dem Tisch gegenübersaß, in forschem Ton etwas zu dem Dolmetscher sagte und dieser versuchte, ihr zu erklären, warum dieser Mensch nicht glauben wollte, dass ihr Mann auf eine Mine gestiegen und ihre Schwester verschleppt worden war und sie und Schamil deshalb in Gefahr waren und fliehen mussten.

Was der Mann ihr in jenem Zimmer im Amtshaus in Grosny angetan hatte, konnte sie nicht sagen. Nicht zu dem jungen Mann, nicht solange Schamil hinter ihr saß, auch wenn der Bub kaum Russisch verstand. Sie konnte und wollte es nicht aussprechen und wiederholte nur immer wieder für sich die Drohung: Er weiß, wo er mich und Schamil findet. Aber auch das konnte sie nicht laut sagen. In ihrem Kopf gab es keine Worte für das, was der Mann mit ihr gemacht hatte, keine russischen und auch keine tschetschenischen. Es gab das Gefühl der Demütigung, der Hilflosigkeit, der Einsamkeit, des Ausgesetztseins. Aber wie sollte sie das dem ungeduldigen, misstrauischen Mann hinter dem Schreibtisch erklären? Und was, wenn Schamil es doch verstehen würde? Sie musste die grausamen Hände, das Keuchen, den nach Alkohol riechenden Atem, die Angst und die Schmerzen ganz tief in sich vergraben, sie einmauern, damit sie nicht ausbrechen und sie ersticken konnten.

Wenig später war der freundliche junge Übersetzer zu ihr ins Flüchtlingslager gekommen und hatte ihr gesagt, dass man ihren Asylantrag abgelehnt habe. Zu ihrem Glück, hatte er gesagt, zu ihrem Glück könne sie aber einen neuen Antrag stellen, denn beim ersten Mal werde ohnehin jeder abgewiesen, und er wisse, wer ihr helfen könne. Sie hatte dann mit diesen Helfern gesprochen und auch ihnen von Lisas Verschleppung, von Magomeds Tod und vom Verschwinden so vieler ihr naher Menschen erzählt und von der Angst, die sie in die Flucht getrieben hatte. Über das, was ihr in dem Amtshaus angetan worden war, hatte sie aber auch mit ihnen nicht sprechen können.

Dann waren sie in einem Flüchtlingsheim in der Stadt untergebracht worden, das Sarema wie das Paradies erschien, weil sie ein kleines Zimmer mit zwei Betten und einem Tisch hatten, in dem sie sich für eine Weile sicher fühlen konnten. Sie waren im März gekommen, im darauffolgenden Herbst ging Schamil stolz in die erste Klasse Volksschule – und sprach bald schon fließend deutsch. Sarema aber saß in dem Zimmer im Heim und wartete. Und wartete. Und wartete.

Manchmal gelang es ihr, Sulima anzurufen. Die beruhigte sie immer und versicherte ihr, Eva und Basil kümmerten sich gut um sie, es gehe ihr ausgezeichnet und es fehle ihr an nichts.

Im zweiten Jahr des Wartens, als Sarema begonnen hatte, im Heim die Zimmer anderer Flüchtlinge zu putzen, nur damit sie sich beschäftigen konnte, hatte sie eines Abends nicht Sulima am Telefon gehabt, sondern Eva, die ihr sagte, die Tante sei krank und hätte ins Spital gebracht werden müssen.

Eine Woche später wurde Sarema eines Abends ans Telefon im Zimmer des Heimleiters geholt. Eva teilte ihr mit, dass Sulima gestorben war und ihr und Basil das Haus und alles, was darin enthalten war, hinterlassen habe.

Sarema saß danach viele Stunden lang allein im dunklen Zimmer und dachte, dass sie niemanden mehr habe, nur Schamil. Und dass sie gefangen war in einem Leben, das sie nur um

Schamils willen nicht wegwerfen konnte – obwohl sie sich danach sehnte, nichts mehr zu wissen und noch viel weniger zu fühlen. Aufgegeben hätte sie gerne in dieser Nacht und wusste doch, dass sie es nicht durfte. Für Schamil. Wegen Sulima, die ihr so oft geholfen hatte. Wegen Lisa, die vielleicht noch lebte. Dass sie weiterleben musste für den einzigen Sohn, der ihr geblieben war, und für all jene, die gegangen waren. Die sie beneidete, weil die Qual für sie vorbei war, und denen sie nur zu gerne gefolgt wäre.

Der Unfall

Das Fest ist übermorgen.

Und Emma hat noch kein Kleid und keine Schuhe und keine Tasche und den Termin beim Friseur hat sie auch erst heute ausgemacht und irgendwas muss sie den beiden ja doch auch schenken, aber was?

Das Kleid wird sie sich beim Gerngross kaufen – dort wird sie schon was finden, was nicht zu teuer ist. Vielleicht auch die Schuhe und die Tasche. Aber was soll sie dem Hansi und der Emine zur Nicht-Hochzeit schenken?

Eigentlich hat sie gar keine Lust, zu dem Fest zu gehen, und den Kopf will sie sich auch nicht zerbrechen müssen. Wenn die richtig heiraten würden, gäbe es eine Hochzeitsliste und sie hätte jetzt nicht das Problem mit dem Geschenk. Oder muss sie ihnen vielleicht gar nichts schenken, weil sie ja gar nicht heiraten?

Sie wird was fürs Baby kaufen. Aber vielleicht ist Emine ja abergläubisch. Dann ärgert sie sich, wenn Emma ihr etwas für ein Baby schenkt, das erst in vier Monaten kommt. Blöd ist das, wirklich. Aber jetzt geht sie erst einmal einkaufen. Heute wird sie sich ein schönes Schweinsschnitzel machen und einen Erdäpfelsalat, den hat der Hansi auch so gern, sie kann ihn ja anrufen und fragen, ob er zum Nachtmahl kommen will.

Im Supermarkt herrscht Gedränge und Emma ärgert sich. Wieso müssen auch alle zur gleichen Zeit einkaufen gehen wie sie? Bei der Fleischtheke ist eine Schlange, also kauft Emma einfach zwei Knackwürste und Erdäpfel. Und noch dies und das – ein paar Kekse, Milch, einen fertigen Pudding, den mag sie auch gern, der Hansi nicht, aber der soll eh abnehmen. An der Kasse gibt's auch eine Schlange, und als Emma endlich gezahlt hat, ist sie schon ziemlich grantig.

Und stolpert direkt vor dem Supermarkt über eine Cola-dose, die irgendein Fratz offenbar fallen lassen hat. Sie fällt der Länge nach hin und spürt einen furchtbaren Schmerz. Dann wird ihr schwarz vor den Augen.

Als sie wieder zu sich kommt, beugt sich eine junge Frau über sie. Es ist die junge Frau mit dem kleinen Buben, die sie schon öfter getroffen hat. Der Bub hat doch zu ihr gesagt, sie sei ein guter Mensch. Das fällt ihr ausgerechnet jetzt ein, wo sie vor Schmerzen nicht einmal weiß, wie sie heißt. Jetzt taucht der Bub neben der Frau auf und fragt sie, ob sie aufstehen kann.

Emma zuckt mit den Schultern, setzt sich auf, stöhnt und lässt sich wieder fallen.

»Hilfe«, sagt die Frau zu den Leuten, die sich inzwischen rund um Emma versammelt haben, und der Bub sagt: »Frau muss in Spital.«

In dem Moment kommt die Kassiererin aus dem Super-markt gelaufen und sagt, dass die Rettung schon unterwegs sei und ob sie jemanden verständigen soll. Aber Emma ist so verwirrt, dass ihr die Telefonnummer vom Hansi nicht ein-fällt, und sie zeigt auf die Frau und den Buben. Als die Rettung kommt, steigen die beiden wie selbstverständlich ein und fah-ren mit Emma ins Spital.

Im Spital muss sie wieder warten, diesmal in einem Korri-dor. Sie liegt auf der Bahre, auf der sie die Rettungsleute he-reingebracht haben, und versucht, an nichts zu denken. Die Frau und der Bub stehen neben ihr und unterhalten sich leise. Emma versteht kein Wort, diese Sprache hat sie noch nie ge-hört. Wieso sind die beiden eigentlich da und stehen neben ihr, denkt sie plötzlich und fragt auch gleich nach.

»Sie hingefallen, Mama hat geholfen, Sie haben gesagt, sol-len wir mitkommen«, sagt der Bub und lächelt schüchtern.

»Wie heißt du eigentlich?«, fragt Emma, und denkt, dass sie sehr verwirrt gewesen sein muss. Und dass sie eine Krankenschwester rufen sollte, damit die den Hansi verständigt.

»Schamil«, sagt der Bub, »und Mama heißt Sarema!«

»Aha«, sagt Emma, und denkt: noch mehr solche wie Emine.

»Hast du nicht Familie?«, fragt der Bub, und Emma schaut ihn empört an und sagt, dass sie natürlich eine Familie hat, einen Sohn, der sogar Arzt ist und den sie gerne anrufen will, wozu sie aber eine Schwester braucht, weil sie kein Handy hat.

Der Bub sagt etwas zu der Frau und die nickt. Dann geht er weg und die Frau streichelt Emmas Hand und sagt: »Wird gut!«

Was soll da schon gut werden, denkt Emma, und weiß vor Schmerzen nicht mehr, wie sie liegen soll. Dann kommt der Bub mit einer Krankenschwester zurück, die sich die Nummer vom Hansi geben lässt und anrufen geht. Dann warten sie weiter und die Frau und der Bub versuchen, Emma aufzuheitern.

Der Hansi kommt und ist vor Aufregung ganz rot im Gesicht.

»Was machst du für Sachen, Mama?«, sagt er als Erstes.

Und Emma sagt: »Das sind Schamil und Sarema!«

Die Frau und der Bub lächeln freundlich und treten höflich ein bisschen zurück.

»Hat dich schon wer angeschaut?«, fragt der Hansi, ohne die zwei überhaupt zur Kenntnis zu nehmen.

»Nein«, sagt der Bub, »kein Arzt da gewesen, warten!«

»So eine Sauerei«, sagt der Hansi und geht zur Krankenschwester, um sich zu beschweren.

Dann kommt eine andere Schwester und ein Pfleger und Emma wird in eine Röhre geschoben, und eigentlich ist ihr das ja sehr unheimlich, aber weil sie vor Schmerz schon nicht mehr weiß, was sie tun soll, hat sie nicht einmal Zeit für Platzangst. Als sie fertig ist, muss sie wieder warten, der Bub und die Frau warten mit ihr, und der Hansi rennt herum wie ein aufgescheuchtes Hendl und telefoniert.

Endlich kommt ein junger Arzt, der schaut sich um und sagt dann zu Sarema: »Also, die Mama muss dableiben, das gebrochene Bein muss operiert werden.«

Sarema schaut verständnislos und der Bub sagt was zu ihr in ihrer komischen Sprache und Emma sagt, dass das nicht ihre Tochter und auch nicht ihre Schwiegertochter ist und dass ihr Sohn dort drüben steht und telefoniert, aber der Hansi schaut gar nicht her, bis der Bub zu ihm geht und ihn am Ärmel zupft. Da legt der Hansi endlich auf, kommt her und sagt zu dem Arzt »Herr Kollege«, und dann reden die zwei Fachchinesisch miteinander und alle reden über Emma, als ob sie gar nicht da wäre.

Und obwohl sie schon ziemlich verwirrt ist und unglaubliche Schmerzen hat, reicht es Emma jetzt und sie schreit, dass man ihr gefälligst erklären soll, was los ist, und dass sie überhaupt nicht daran denkt, im Spital zu bleiben, und dass der Hansi aufhören soll zu tratschen und sie lieber nach Hause bringen soll.

Der Hansi und der junge Arzt machen betretene Gesichter, die Frau und der Bub murmeln irgendwas und die Frau streichelt wieder Emmas Hand. Emma zieht die Hand ungeduldig weg und schreit, dass sie Schmerzen hat und nach Hause will.

Der junge Arzt geht, er kommt mit einer Spritze zurück und sagt, die wird die Schmerzen gleich wegnehmen, und da ergibt sie sich in ihr Schicksal. Nach der Spritze wird Emma ganz müde und merkt nur noch, wie sie irgendwohin geschoben wird – und dann schläft sie.

In der Nacht wacht sie auf, weil ihr wieder alles wehtut, und weiß zuerst gar nicht, wo sie ist. Doch dann erinnert sie sich und sieht, dass sie in einem Zimmer mit drei weiteren Betten liegt. Sie findet die Glocke und läutet. Die Schwester, die nach einer Weile kommt, hat Ringe unter den Augen und ist genervt. Emma jammert und die Schwester sagt, sie soll leise sein, weil sie die anderen aufweckt. Sie würde ihr gleich was gegen die Schmerzen geben, aber ein bisserl Geduld muss sie schon haben, es dauert eh nicht mehr lang, weil sie morgen gleich in der Früh operiert wird.

Während des Rests der Nacht fürchtet sich Emma vor der Operation und vor der Narkose. Sie kann gar nicht mehr einschlafen, obwohl sie noch eine Spritze gekriegt hat. Und dann fällt ihr der Hansi ein und die Emine und die Nicht-Hochzeit, die übermorgen ist. Und sie liegt im Spital.

Besuch

Als Emma aufwacht, hat sie keine Schmerzen mehr, aber sie fühlt sich, als habe sie den Großglockner mit einem 20 Kilo schweren Rucksack auf den Schultern bestiegen. Und sie kann sich nicht richtig bewegen, weil ihr rechtes Bein bis zum Bauch in einer Gipsschale liegt, was sie auch nur bemerkt, weil sie es zufällig mit der Hand streift.

Neben ihrem Bett sitzen die Frau und der Bub. Der Bub hat ein Heft auf dem Schoß und schreibt etwas hinein, die Frau schaut aus dem Fenster. Emma fragt sich, warum die an ihrem Bett sitzen.

»Alles gut?«, fragt die Frau und lächelt, als sie sieht, dass Emma aufgewacht ist.

»Besser«, sagt Emma und weiß nicht so recht, was sie jetzt tun soll. Also macht sie die Augen wieder zu und tut so, als ob sie eingeschlafen wäre. Nach einer Weile hört sie plötzlich die Stimme vom Hansi und macht die Augen wieder auf.

»Alles ist gut, Mama«, sagt der Hansi, »die haben dich toll operiert, du musst noch eine Woche im Spital bleiben und dann musst du zu Hause noch eine Weile liegen, bis du einen Gehgips kriegen kannst. Du wirst sehen, du bist bald wieder wie neu!«

Was das wieder heißen soll? Wie neu? Was der schon wieder daherredet, ihr Hansi, und sie weiß immer noch nicht, was die Frau und der Bub da wollen …

»Das sind die Sarema und der Schamil«, sagt der Hansi, und Emma erinnert sich, dass die Frau ihr geholfen hat, nachdem sie hingefallen ist. Und hat sie nicht gestern dem Hansi gesagt, wie die beiden heißen, und der hat gar nicht zugehört? Und plötzlich tut er so, als seien das alte Bekannte?

Und jetzt kommt auch noch Emine herein, im Minikleid über dem schon ziemlich runden Bauch, und küsst Emma und fragt sie ganz besorgt, wie es ihr geht. Emma ist immer noch ziemlich benebelt, aber dass Sarema Emine komisch anschaut und Emine Sarema nicht weniger komisch anschaut, merkt sie schon.

Dann fallen ihr die Augen wieder zu und sie schläft noch eine Weile. Als sie aufwacht, zieht und sticht und brennt und brummt es in ihrem Bein. Der Hansi und die Emine sind nicht mehr da, aber die Frau und der Bub. Dann sagt die Frau etwas zu dem Buben und der meint zu Emma: »Ist schon spät, müssen jetzt gehen, kommen morgen wieder.« Die Frau lächelt Emma an, dann gehen die beiden, und Emma sieht, wie die zwei Frauen in den anderen Betten sie misstrauisch anschauen. Da sagt sie schnell, dass sie die beiden eigentlich gar nicht kennt und nicht weiß, wieso die sie besuchen kommen.

Am nächsten Tag wacht Emma auf und weiß plötzlich genau, welcher Tag ist: der Tag, an dem die Nicht-Hochzeit ihres Hansi und seiner Emine stattfindet. Und sie liegt mit Gipsbein im Spital und hat kein Geschenk für die beiden. Aber dann denkt sie, dass sie eigentlich ganz froh ist, nicht zu der türkischen Nicht-Hochzeit gehen zu können, und lehnt sich entspannt zurück.

Das Frühstück schmeckt ihr sogar, obwohl der Kaffee aussieht wie Abwaschwasser, die zwei Frauen in den anderen Betten sind auch ganz nett und Emma denkt, es hätte schlimmer kommen können. Sie wird sich ein paar Tage hier verwöhnen lassen und dann nach Hause gehen, und in der Zwischenzeit wird ihr schon einfallen, was sie dem Hansi und der Emine schenken könnte.

Ihr Hansi ist aber auch ein besonderer Schatz, er schaut nämlich noch schnell vorbei, obwohl doch heute Abend …

»Mach dir keine Sorgen, Mama«, sagt er, »du bist bald wieder auf den Beinen. Nur schade, dass du nicht zu unserem Fest kommen kannst, alle haben sich so drauf gefreut, dich kennenzulernen …«

Ja, sagt Emma, ihr tue das auch wahnsinnig leid und sie habe doch die Eltern und Geschwister von Emine so gern kennenlernen wollen, und außerdem sei sie nicht mehr dazugekommen, ihnen ein Geschenk zu kaufen, aber das werde sie dann nachholen, wenn sie wieder gehen könne. Sie werde etwas ganz Besonderes für das Enkerl kaufen, auf das sie sich doch so freue, und ob Luzie schon da sei?

»Ja«, hört sie die vertraute Stimme, und schon hüpft ihre Enkelin herein – in einer Jeans, die ausschaut, als sei sie eine Strumpfhose, so eng liegt sie an, und mit einem T-Shirt, das den Nabel frei lässt. Luzie küsst Emma, schimpft sie liebevoll und verspricht ihr, am nächsten Tag zu kommen und alles haargenau zu erzählen. Fotos werde sie auch mitbringen, und Emma denkt, dass ein Unglück eben manchmal auch ein Glück sein kann und sie sich nicht nur das türkische Nicht-Hochzeitsfest erspart, sondern auch noch Luzie ein paar Stunden für sich alleine haben wird.

Da geht die Türe auf und die Frau und der Bub kommen herein. Die Frau lächelt und fragt, wie es Emma gehe, und der Bub reicht ihr ein Sackerl, in dem zwei Orangen sind. Und als Emma ein bisschen verständnislos schaut, sagt er: »Ist gut, wenn krank. Hilft gesund werden!«

Luzie lacht schallend los und Emma weiß nicht, was sie tun soll.

»Ich bin Luzie, Emmas Enkelin, und ihr seid Sarema und Schamil, nicht wahr? Danke, dass ihr der Oma so geholfen habt und sie jetzt immer besuchen kommt, das hilft ihr am besten, wieder gesund zu werden!«, sagt Luzie dann und schüttelt der Frau und dem Buben die Hand.

Da sagt der Hansi ihr schnell ins Ohr, die beiden hätten sich so gut um sie gekümmert, als sie den Unfall gehabt habe, und da hätte er sich gedacht, die könnten sich ja weiter um Emma kümmern, solange sie behindert ist. Behindert? Was soll das wieder heißen? Sie ist doch nicht behindert. Sie hat nur einen Gipsfuß ... Und im selben Augenblick fällt ihr Mitzi ein und vor Schreck wird ihr ganz heiß.

»Die Mitzi«, flüstert sie, und der Hansi sagt: »Keine Sorge, wir füttern sie schon, bis du nach Hause kommst.«

Und dann gehen der Hansi und die Luzie nach Hause, doch die Frau und der Bub setzen sich zu ihr. Der Bub holt ein Heft heraus und beginnt, etwas hineinzuschreiben, und die Frau blickt wieder aus dem Fenster und schweigt. Die Frauen in den anderen Betten schauen wieder so komisch, und da fragt Emma endlich, wo sie herkommen und was sie hier machen und wie lange sie schon hier sind.

Schamil schaut von seinem Heft auf und sagt, dass sie aus Tschetschenien seien und schon ein Jahr in Wien lebten. Und dass sie darauf warten zu erfahren, ob sie bleiben dürfen.

Wo das sei, will die Frau im mittleren Bett wissen, dieses Tschetschenien.

»Kaukasus«, sagt die Frau, die Sarema heißt.

»Aha«, sagt Emma, obwohl sie nur eine vage Vorstellung hat, wo das sein könnte.

»Russland«, sagt Sarema, auch in der Hoffnung, damit genug erklärt zu haben.

»Schamil Schule in Wien – sehr gut!«, sagt sie dann auch und zeigt voller Stolz auf den Buben – und hofft, dass die Frauen sie nicht weiter ausfragen.

»In welche Klasse geht er denn?«, fragt die andere Bettnachbarin, und Schamil lächelt schüchtern und sagt, dass er in die zweite Volksschule gehe.

»Sprichst aber schon sehr gut Deutsch, dafür, dass du noch gar nicht so lang da bist«, sagt Emma, um auch etwas zur Konversation beizutragen, und fragt den Buben dann, wie ihm die Schule denn gefalle.

»Schamil gerne Schule«, sagt Sarema energisch, bevor der Bub antworten kann, und schaut ihn irgendwie warnend an.

Es sei gut in der Schule, sagt der Bub. Die Lehrer seien nett und die Kinder auch, aber er sei nicht gut im Rechnen, und Schreiben falle ihm auch nicht so leicht.

»Aber geh«, sagt die Frau im mittleren Bett, »so ein g'scheiter Bub, das wird schon …«

Und Emma nickt. Sonst fällt ihr nichts ein. An dem Nachmittag reden sie nicht mehr viel miteinander, Emma und ihre zwei Zimmerkolleginnen bekommen, wie im Spital üblich, ein ziemlich frühes Abendessen. Die Frau und der Bub stehen auf, verabschieden sich und sagen, dass sie am nächsten Tag wiederkommen. Und dann schauen sich die drei Frauen die Nachmittagssendung im Fernsehen an – und Emma schläft mittendrin ein.

Am nächsten Tag kommt eine ganz aufgekratzte Luzie zu Besuch. Im Rucksack hat sie ihren Laptop und auf dem zeigt sie Emma Hunderte Fotos von der Nicht-Hochzeit, bis dieser ganz schwindlig wird: Hansi und Emine in allen möglichen Posen, sie in einem langen schwarzen Kleid und er in einer schwarzen Hose und einem schwarzen Hemd. »Wie bei einem Begräbnis«, kann sich Emma nicht verkneifen festzustellen, was Luzie erst eine freche Antwort und dann ein lautes Lachen entlockt. Der Papa habe fantastisch ausgeschaut, so richtig elegant, und

Emine sei sowieso nach ihrer Mama die schönste Frau der Welt, sagt sie dann noch und klickt weiter. Und zeigt Emma Fotos von lauter Menschen mit dunklen Haaren und scharf geschnittenen Gesichtern und fröhlichem Lachen, und Emma denkt, wie froh sie ist, dass sie sich das erspart hat. Gut, über das gebrochene Bein ist sie natürlich nicht froh, aber dass sie sich die türkische Familie nicht antun hat müssen, ist wirklich ein Glück.

Luzie hingegen erzählt ganz begeistert von Emines Vater, der mit ihr getanzt hat, und von Emines Bruder Mohamed, der ein sehr guter Freund von Papa ist und sich so freut, dass sie jetzt praktisch verwandt sind, und von Emines Mutter, die sie in ihr Haus in Antalya eingeladen hat. Luzie hat versprochen, dass sie in den nächsten Ferien sicher dorthin fährt, weil sie ohnehin immer schon in die Türkei wollte.

Und alle, alle haben Emine zum Baby gratuliert und Emines Großmutter hat besonders gestrahlt, weil sie jetzt endlich ein Urenkerl kriegt, und alle haben gesagt, dass sie, Luzie, jetzt irgendwie auch zur Familie gehört. Und jetzt habe sie in drei Ländern Familie und das habe schließlich nicht jeder und sie finde das fantastisch.

»Und das Essen«, sagt Luzie, »war auch fantastisch, total interessant – nicht so fad wie der ewige Schweinsbraten und die ewigen Schnitzel.«

Und dann wird sie rot und entschuldigt sich bei Emma und sagt, dass sie natürlich den Schweinsbraten von der Oma und ihre Schnitzel wahnsinnig gern hat und dass sie das eher so im Allgemeinen gesagt hat.

Aber Emma ist trotzdem beleidigt – und stöhnt ein bisschen, damit sich Luzie auch ordentlich schämt. Worauf die sie

umarmt und abbusselt, bis Emma ein gequältes Lächeln auf-
setzt und sagt, Luzie solle nach Hause gehen, sie werde ja wohl
noch Zeit mit ihrem Papa verbringen wollen, bevor sie nach
Italien zurückfliegt.

Nach einer Woche holt Hansi Emma aus dem Spital ab. Zu ihrer Überraschung bringt er die Frau mit, die Sarema heißt.

Sarema, sagt er, habe sich bereit erklärt, Emma zu helfen, so lange sie das brauche. Sarema lächelt freundlich und packt gleich Emmas Sachen in die Tasche, die der Hansi mitgebracht hat. Dann geht sie hinaus und kommt mit einem Rollstuhl wieder, in den sie Emma hineinheben. Die Frauen in den anderen Betten winken Emma freundlich zu und wünschen ihr baldige Besserung, und als sie aus dem Zimmer rollt, sieht Emma aus dem Augenwinkel, wie die Frauen sich Blicke zuwerfen, die ihr gar nicht gefallen. Aber, denkt sie, die Weiber wird sie ohnehin nie wiedersehen, also kann es ihr egal sein, was die über sie und ihren Hansi denken.

Zu Hause angekommen, geht Sarema mit zwei großen, schweren Sackerln aus Hansis Auto in die Küche, nachdem sie Emma geholfen hat, sich auf dem Sofa einzurichten. Nach fünf Minuten kommt sie wieder und fragt: »Wo große Kopftuch?«

»Wozu brauchst du ein großes Kopftuch?«, fragt Emma und findet es ganz normal, Sarema zu duzen.

»Will Huhn kochen«, sagt Sarema freundlich.

Emma zeigt auf ihren Kopf und sagt, dass sie doch ohnehin ein Kopftuch aufhabe.

Sarema schaut ratlos, Emma auch – und Hansi lacht los und geht in die Küche und kommt mit dem großen Kochtopf wieder, den Emma immer für die Gulaschsuppe nimmt. Sarema lächelt und sagt: »Ja, ja, Kopftuch, nicht gefunden …«

»Kochtopf«, sagt Hansi langsam und deutlich und drückt ihn ihr in die Hand. Sarema verschwindet in der Küche.

»Ich hab doch nur ein gebrochenes Bein, keine Magenverstimmung«, murrt Emma. Weil sie Huhn nur als Backhendl mag und auch das nur einmal im Jahr. Aber da sie hilflos am Sofa liegt, muss sie in den sauren Apfel beißen.

Der Hansi muss wieder los, verspricht ihr aber, am Abend mit Emine vorbeizukommen. »Und reg dich nicht auf, wenn der Schamil nachher auch kommt und mitisst«, sagt er noch. Das habe er nämlich mit Sarema so ausgemacht, die wisse sonst nicht, wo sie den Buben lassen solle. Und Emma könnte ihm ja vielleicht bei den Hausaufgaben helfen, wenn sie nicht zu müde sei, sagt der Hansi noch und ist schon bei der Tür draußen.

Mitzi hatte sich versteckt, als Hansi und Sarema Emma hereingebracht haben. Jetzt kommt sie zögernd hervor und steigt, ein Bein nach dem anderen, vorsichtig auf das Sofa zu Emma. Emma hat sie bisher ja immer vom Sofa verscheucht, aber jetzt ist sie ganz froh, dass sich die Katze direkt neben ihrem gesunden Bein ausstreckt und zu schnurren beginnt. Gescheit sind diese Viecher ja schon, denkt Emma und streichelt Mitzi ein bisserl den Kopf. Dann nickt sie ein – und wacht auf, weil es läutet.

Sarema läuft zur Türe und lässt Schamil ein. Schamil zieht die Jacke aus, stellt seine Schultasche brav neben die Tür und geht zu Emma hin.

»Wie geht es Ihnen?«, fragt er ganz höflich, und Emma ist beeindruckt. So ein wohlerzogener Bub, obwohl er aus irgendsoeinem Land stammt …

Sarema kommt herein und fragt Schamil etwas. Schamil sagt zu Emma: »Mama fragt, wo Teller und Messer und Gabel. Essen fertig.«

Emma deutet auf die Kredenz im Wohnzimmer, Sarema nimmt das Geschirr und das Besteck heraus und deckt den Tisch.

»Aber nein«, schreit Emma, »ein Tischtuch!«

Sarema und Schamil schauen erschrocken und dann greift sich Sarema an das dünne Tüchlein, das sie lose und zusammengedreht wie ein Haarband um den Kopf trägt.

»Das Tischtuch ist in der linken Lade, die Servietten auch«, sagt Emma ganz langsam und sehr laut. Schamil schaut Sarema ratlos an und Sarema schaut Emma ratlos an und die schaut die beiden ratlos an und fuchtelt dann wild mit den Händen zur Kredenz hin. Schamil geht hin und Emma sagt: »Lade aufmachen, Tuch herausnehmen, auf Tisch legen!«

Schamil macht die Lade auf und zieht das karierte Tischtuch heraus und Emma fuchtelt wieder mit den Händen, bis Schamil versteht und das Tischtuch auflegt.

Gemeinsam helfen sie Emma in den Rollstuhl und schieben sie zum Tisch. Emma schaut den Teller misstrauisch an. Reis und dazwischen Fleischstücke unbestimmter Farbe.

»Huhn gut für Kranke«, sagt Sarema mit unsicherem Lächeln, und Emma schaut immer noch auf den Teller und kann sich nicht entschließen, etwas davon zu essen. Aber dann merkt sie, dass sie Hunger hat, nimmt doch ein Stück Huhn und etwas Reis, isst es und stellt fest, dass es eigentlich nach gar nichts schmeckt, nicht einmal nach Salz.

»Salz?«, sagt sie und Sarema springt auf und läuft in die Küche.

Also kochen kann die nicht, denkt Emma, na das kann was werden. Wie lange muss sie noch den Liegegips haben? Noch eine Woche und dann den Gehgips? Mit dem wird sie ja wohl kochen können. Dieser Sarema muss sie schon noch einiges beibringen. Aber der Bub ist nett.

Nach dem Essen schläft Emma auf dem Sofa ein und Sarema geht mit Schamil in die Küche. Als Emma aufwacht, steht eine Teekanne und ein Teller mit Keksen auf dem Couchtisch neben dem Sofa und aus der Küche hört sie ein leises Gespräch.

Sie würde den Buben gern zu sich rufen, aber natürlich hat sie wieder vergessen, wie er heißt, und jetzt weiß sie nicht, wie sie das anstellen soll. Und dunkel wird's auch schon langsam und außerdem muss sie wohin …

Emma hustet laut und versucht, irgendwie Lärm zu machen. Sofort geht die Küchentüre auf, die Frau Sarema kommt herein und schaut Emma fragend an. Die erklärt ihr mit Händen und einem Fuß, was sie braucht. Und dann hilft Sarema Emma auf die Schüssel und holt einen Waschlappen aus dem Badezimmer, um sie danach zu säubern. Sie macht alles so wie die Schwestern im Spital, nur vorsichtiger, und Emma ist ganz zufrieden.

Das sagt sie auch dem Hansi und der immer runder werdenden Emine, als die beiden sie am Abend besuchen kommen. Emine ist nicht so begeistert von dieser Frau Sarema und dem Arrangement, das der Hansi einfach so getroffen hat, und versucht, sich mit Sarema zu unterhalten. Was nicht so einfach ist, weil Sarema kaum Deutsch kann und sich vor der energischen Emine auch ein bisschen zu fürchten scheint.

Emine stellt jedenfalls Fragen und der Bub übersetzt.

Sarema sagt noch einmal, dass sie aus Tschetschenien ist und darauf wartet, ob ihr Asylantrag genehmigt wird. Warum sie denn Asyl wolle, fragt Emine streng, und Hansi schaut ein bisschen peinlich berührt, weil die Mutter seines zukünftigen Kindes gar so misstrauisch ist zu der Frau, die immerhin seiner Mutter in einer schwierigen Lage geholfen hat.

Saremas Augen werden ganz dunkel und Schamils Gesicht wird eine Schattierung blasser.

Man habe seinen Vater und seinen Onkel getötet, seine Tante verschleppt und sein Bruder und seine Schwester seien im Krieg auch ums Leben gekommen. Alle seien tot und sie hätten Angst dort in Grosny.

»Aber«, sagt Emine, die viel Zeitung liest und alle Nachrichtensendungen im Fernsehen und im Radio hört, vor allem jetzt, wo sie mit ihrem dicken Bauch zu Hause sitzt und wartet, dass das Baby kommt, »aber dort ist doch jetzt gar kein Krieg mehr!«

»Viel Schießen«, sagt Schamil, »böse Leute, gehen in Haus und holen Menschen. Tante Lisa geholt und verschwunden.«

Sarema weint nicht. Aber alle sehen, dass sie kurz davor ist. Und Hansi sagt zu Emine, dass das jetzt genug Verhör für einen Abend war und dass Sarema und Schamil ja auch ins Flüchtlingsheim zurück müssten.

»Und ich bleib allein?«, raunzt Emma, die ja eigentlich nicht will, dass die Frau und der Bub bei ihr einziehen, aber mit ihrem Liegegips doch Hilfe braucht.

»Aber nein, Mama, ich schlaf bei dir, bis du einen Gehgips kriegst, und die Sarema und der Schamil kommen jeden Tag und helfen dir. Morgen machst du eine Einkaufsliste und gibst der Sarema Geld und die besorgt dir alles, was du brauchst, und wenn dir sonst noch was fehlt, kannst du mich ja jederzeit anrufen und die Emine natürlich auch«, sagt Hansi großmütig. Emine schaut ein wenig säuerlich drein, findet Emma und freut sich, weil ihr ihre Nicht-Schwiegertochter eh ein bisserl zu selbstbewusst vorkommt.

Sarema zieht ihre Jacke an und nimmt Schamils Schulrucksack und dann sagen die beiden brav wie Vorzugsschüler Auf Wiedersehen und gehen.

Und kaum sind sie bei der Türe draußen, legt Emine los. Was sich der Hans dabei gedacht hat, irgendwelche völlig fremden Leute zu Emma nach Hause zu bringen, die man nicht kennt und die eigentlich fast illegal hier sind und womöglich abhauen, sobald Emma ihnen das erste Mal Einkaufsgeld gibt oder vielleicht die Wohnung ausräumen, während Emma hilflos am Sofa liegt. Schließlich wisse man doch, dass diese Tschetschenen ziemlich dubiose Leute seien, und vielleicht sei die Frau überhaupt eine Terroristin, und wieso sie geflüchtet sei, habe sie auch nicht wirklich erklärt – und Deutsch könne sie auch nicht, was sie, Emine, gar nicht verstehen könne, sie sei schließlich auch keine geborene Österreicherin, aber in ihrer Familie hat man sich eben bemüht, die Sprache des Landes zu lernen, in dem man lebt.

Hansi schaut verdutzt und sagt dann, dass diese Sarema doch sehr nett sei und sich gut um Emma kümmere und dass man halt schwer eine Sprache lernen kann, wenn man herumsitzt und keinen kennt, der in der Sprache, die man lernen soll, mit einem redet. Im Übrigen sei das doch eine schöne Aufgabe für Emma, die ja jetzt ohnehin schon länger in Pension sei und eigentlich nichts zu tun habe. Sarema dürfe zwar nicht arbeiten, aber Emma könne sie ja entlohnen, indem sie ihr Deutsch beibringe, und da hätten dann beide was davon. Und die Wohnung werde sie sicher nicht ausräumen, weil er ja jeden Abend herkommen und da schlafen werde, solange Emma nicht aufstehen kann. Schon weil er ihr ja jeden Abend die Blutverdünnungsspritze geben müsse, denn wenn er das nicht versprochen hätte, hätten die Ärzte Emma gar nicht nach Hause gelassen, und sie habe doch unbedingt nach Hause wollen. Und wo hätte er denn sonst so schnell so eine Betreuung für Emma finden sollen?

Emine zuckt missmutig mit den Schultern und sagt, dass ihr die Frau unsympathisch sei und der Bub zu devot, und überhaupt hätte sie sicher irgendeine Lösung gefunden, wenn er sie nur vorher gefragt hätte …

Und Emma freut sich insgeheim, dass die beiden streiten, weil sie ihr als Streitende sehr viel angenehmer sind denn als Turteltäubchen. Dann denkt sie noch, dass sie da nur vom Regen in die Traufe gekommen wäre, wenn Emine etwas organisiert hätte, denn dann hätte sie statt einer Tschetschenin halt eine Türkin bei sich herumsitzen gehabt – und besser gekocht hätte die wahrscheinlich auch nicht.

Und dann lässt sie sich von dem Geplänkel der beiden in den Schlaf reden und fühlt sich trotz Gipsbein eigentlich ganz wohl.

Sarema schält Erdäpfel. Die Frau mit dem Gipsbein will etwas essen, das sie Püree nennt – und das man aus Erdäpfeln macht. Also schält Sarema Erdäpfel. Zu Hause hat sie sie immer in der Schale gekocht und dann geschält. Aber die Frau hat ihr klargemacht, dass sie erst schälen und dann kochen soll. Es macht ihr nichts aus, sich von der Frau wie eine Magd behandeln zu lassen. Sie ist froh, eine Beschäftigung zu haben. Und ein bisschen erinnert die Frau sie an Tante Sulima, auch wenn die älter, dicker und liebevoller war.

Beim Gedanken an Sulima, die einsam und weit weg in einem hässlichen Spitalsbett gestorben ist, ohne sie noch einmal umarmt zu haben, kommen Sarema die Tränen. Aber die schluckt sie ganz schnell hinunter. Wenn sie jetzt zu weinen beginnt, kann sie nie mehr aufhören, das weiß sie. Und das kann sie sich nicht leisten.

Sie denkt an Magomed und überlegt, was der wohl getan hätte, wäre er noch am Leben gewesen, als man Lisa verschleppte. Magomed hätte alles für sie getan, denkt sie. Er hätte Lisa gefunden und befreit und sie hätte nie in das Haus mit dem langen Korridor und den vielen Türen gehen müssen. Sie wäre nie in die Hände des Mannes gefallen, dessen Stimme sie jede Nacht aufs Neue hört: »Ich weiß, wo ich deinen Sohn und dich finde ...«

Magomed hätte es nicht zugelassen. Aber Magomed ist tot, und bis Schamil alt genug ist, seiner Mutter jenen männlichen Beistand zu bieten, den jede Frau braucht, werden noch einige Jahre vergehen. Bis dahin muss sie für sich und ihren Sohn, ihren einzigen Sohn sorgen.

Die Frau hat ihr schon beim ersten Mal, als sie sie im Supermarkt getroffen hat, leidgetan. Sie hat einsam und ein bisschen bitter ausgesehen und Sarema hat auch damals schon an Sulima denken müssen und daran, wie warm und freundlich diese immer geblieben ist, auch als all die schrecklichen Dinge geschehen sind, an die sie nicht zu denken wagt, weil sie sonst den Verstand verliert. Und schon damals hatte sie sich gewundert, dass man so traurig und einsam und bitter aussehen konnte in diesem Land, in dem es doch den Menschen so viel besser geht als in ihrer gequälten Heimat.

Als die Frau hingefallen ist und nicht mehr aufstehen konnte, hatte Sarema ihr ganz selbstverständlich geholfen. Und dann war der nette Mann im Spital zu ihr gekommen und hatte sie gebeten, sich um die Frau zu kümmern, so lange sie sich nicht selbst helfen konnte. Und Sarema war einen ganz kurzen Augenblick lang fast hoffnungsvoll gewesen, weil sie plötzlich das Gefühl hatte, eine Türe ginge auf.

Die Frau, die den für Sarema nur schwer zu merkenden Namen Emma trägt, ist meistens unzufrieden mit dem, was Sarema für sie tut, aber das macht nichts. Oft muss sie warten, bis Schamil aus der Schule kommt und für sie übersetzt, und manchmal gibt es trotzdem Missverständnisse, über die sich die Frau ärgert und Sarema eigentlich lachen muss.

Vor ein paar Tagen hat sie ein großes Paket Salz gekauft, dabei hatte die Frau Salat gewollt. Doch Sarema hatte das Wort nicht gekannt und im Supermarkt das Salz gesehen und gedacht, das habe die Frau ihr aufgetragen. Erst als Schamil mittags aus der Schule gekommen war, hatte sich das Missverständnis aufgeklärt, Sarema war noch einmal einkaufen gegangen und hatte einen Kopf Salat mitgebracht, der der Frau Emma aber auch nicht gefallen hatte, weil die eine andere Art von grünem

Salat lieber aß, wie sie Sarema wortreich erklärte. Und Sarema, die zu Hause nie grünen Salat gegessen hatte, hatte geduldig zugehört und sich ein bisschen darüber gewundert, wie wichtig die Form eines Salatkopfes sein konnte. Und dann hatte sie an das gedacht, was Sulima Salat genannt hatte, und war traurig geworden. Die klein geschnittenen Roten Rüben mit Zwiebeln und Gurken und der säuerlichen Sauce waren ihr eingefallen, die es nur zu besonderen Gelegenheiten gegeben hatte, und wieder hatte sie gedacht, wie seltsam es doch hier war, wo man alles kaufen konnte, wo nicht geschossen wurde und Menschen nicht ungestraft verschleppt und ermordet wurden und die meisten Leute trotzdem immer so missmutig dreinsahen und kaum miteinander sprachen.

Die Frau mit dem Namen Emma spricht mit ihr auch nur, wenn sie ihr etwas auftragen will. Zu Schamil aber ist sie freundlich. Seit er nach der Schule immer hierher kommt, scheint ihr, als ob sich auch sein Deutsch verbessert hätte. Seine Noten sind großartig, was Sarema allerdings auch erst begriffen hat, als der freundliche Herr Hans, dessen Namen Sarema auch kaum aussprechen kann, ihr das österreichische Notensystem erklärt hat. Denn als Schamil ihr zum ersten Mal strahlend sein Deutsch-Heft zeigte, in dem ein großer Einser prangte, hatte sie ihr Entsetzen kaum verbergen können. Ein Einser, das war in der sowjetischen Schule in Grosny noch die größte Schande gewesen, nie hätte sie sich mit einer solchen Note nach Hause getraut. Sie war eine sehr gute Schülerin gewesen und hatte immer nur Fünfer nach Hause gebracht. Der Herr Hans hat ihr geduldig und mithilfe von Schamils wirklich immer besser werdenden Deutschkenntnissen erklärt, dass es in Österreich genau umgekehrt sei und die beste Note der Einser, die schlechteste der Fünfer sei. Und seit damals ist Sarema sehr stolz auf ihren gescheiten Buben und hat begonnen, auch wieder Hoffnung zu schöpfen. Manchmal. Ganz selten. Aber doch hie und da. Manchmal erlaubt sie sich zu fantasieren, dass Schamil hier in Österreich eine Universität besuchen und Arzt oder Ingenieur oder auch Lehrer werden und ein zufriedenes sicheres Leben haben könnte und dass sie dann beruhigt sterben könnte.

Die Einzige in dieser Familie, vor der sie Angst hat, ist die Frau vom Herrn Hans, die bald ihr Kind bekommen wird. Die ist misstrauisch und abweisend und lässt Sarema immer spüren, dass sie ihr nicht glaubt und sie nicht mag. Und Sarema weiß nicht so recht, was sie tun und wie sie mit ihr umgehen soll. Dabei ist die Frau ja auch eine, die nicht wirklich hierher gehört in dieses Land, wo viele Leute blond und großgewachsen sind. Der Herr Hans ist zwar nicht blond und besonders groß ist er auch nicht, aber trotzdem merkt man, dass er schon immer hier gelebt hat, während die Frau mit dem Kind im Bauch so aussieht, als sei sie gerade erst aus irgendeinem Land im Süden gekommen.

Sprechen kann sie aber so wie Herr Hans und Frau Emma. Und obwohl Sarema entdeckt hat, dass die Frau so wie sie selbst und Schamil kein Schweinefleisch isst, hat sie doch nicht das Gefühl, irgendwie mit ihr zurechtkommen zu können. Die sieht sie immer an, als ob mit ihr etwas nicht in Ordnung wäre, und hat schon einmal ziemlich laut etwas über ihren langen Rock und das Haarband gesagt, das Sarema immer trägt. Dann hat Frau Emma auf den Kasten in ihrem Schlafzimmer gezeigt und die Frau mit dem Kind im Bauch hat ein paar lange schwarze Hosen und eine Wolljacke hervorgeholt und sie Sarema hingehalten. Aber Sarema trägt keine Hosen, das gehört sich nicht, in Tschetschenien hätte sie damit nicht auf die Straße gehen können. Die Wolljacke hat sie voller Freude genommen, denn ihre eigene war schon ganz zerschlissen. Und weil Frau Emma gekränkt ausgesehen hat, hat sie dann auch die Hosen genommen. Die zieht sie jetzt an, wenn sie bei Frau Emma ist, und bevor sie hinausgeht, zieht sie sie wieder aus und ihren langen Rock an.

Alles in allem sind sie doch nett in dieser Familie, denkt Sarema und räumt die Erdäpfelschalen weg. Aber auch sehr merkwürdig. Die Frau mit dem Kind im Bauch trägt kurze Kleider, die Sarema nicht einmal als Pullover anziehen würde. Und ihre Haare sind so kurz wie die eines Mannes. Und einmal hat Sarema Schamil gebeten, sie zu fragen, wo hier in der Nähe eine Moschee sei – denn der Stein auf ihrem Herzen drückt von Tag zu Tag mehr und Sarema dachte, dass es ihr vielleicht helfen könnte, einmal in die Moschee zu gehen. Aber die Frau mit dem Kind im Bauch hat nur gelacht und gesagt, dass sie keine Ahnung habe. Ob sie etwa so aussehe, als gehe sie in die Moschee, sagte sie und hat sich dann ziemlich hochmütig weggedreht.

Sarema ist daheim in Tschetschenien auch nie in die Moschee gegangen. Aber jetzt würde sie es gerne versuchen. Denn im Grunde weiß sie nicht mehr, was sie tun soll. Von ihrem Asylantrag hat sie nichts mehr gehört, aber im Flüchtlingsheim geht so manches Gerücht um. Dass Tschetschenen in diesem Land nicht mehr gern gesehen sind. Dass kaum einer mehr Asyl bekommt. Dass manche sogar zurückgeschickt werden, zumindest nach Polen.

Sarema will nicht daran denken, dass man sie nach Polen zurückschicken könnte. Da waren überall die Autos mit den Männern aus Grosny, die auf der Suche nach Flüchtlingen waren. Und da war die Angst, den Mann in einem der Autos zu sehen, ihre Angst, Schamil alleine auf die Straße gehen zu lassen, und ihre Atembeschwerden. Einmal ist sie in der Nacht aufgewacht und hat keine Luft mehr bekommen. Als ob der Mann immer noch auf ihr läge und ihr den Hals zudrücke. Den Rest der Nacht hat sie sitzend vor dem offenen Fenster verbracht, und in der Früh hat sie zu niesen und zu husten begonnen. Der Arzt im Flüchtlingslager hat ihr Aspirin gegeben und gesagt, sie solle sich warm halten, und gegen die Atembeschwerden hat er ihr Baldrian verschrieben.

Frau Emma kommt in die Küche gehumpelt und schaut die geschälten Erdäpfel kritisch an. Dann zeigt sie Sarema den Stampfer und beobachtet sie dabei, wie sie die Erdäpfel zerdrückt. Und gießt Milch dazu – das kann sie mit einer Hand, während sie sich mit der anderen auf die Krücke stützt, die Herr Hans ihr mitgebracht hat, nachdem sie den Gehgips bekommen hat. Auch Salz gibt sie selbst dazu – sie schimpft immer mit Sarema, weil die zu wenig Salz verwendet. Sarema lässt sie geduldig gewähren. Es macht ihr Spaß, mit Frau Emma zu kochen. Dabei lernt sie wenigstens immer wieder neue Worte.

Als Schamil aus der Schule kommt, essen sie zu dritt in der Küche – und dann setzt sich Frau Emma mit dem Buben hin und hilft ihm bei den Aufgaben, und Sarema, die in der Küche aufräumt, hört die beiden miteinander reden – und lachen.

Später sagt Frau Emma zu Sarema, sie solle ein bisschen spazieren gehen, der Bub könne bei ihr bleiben. Sarema schaut Schamil fragend an und der strahlt und nickt. Also zieht sie ihre Jacke an und geht auf die Straße und denkt plötzlich, dass sie noch nie in ihrem Leben einfach so spazieren gegangen ist. Was soll sie jetzt tun? Im Flüchtlingsheim haben die Frauen ihr von einem Geschäft erzählt, in dem man alles um ganz wenig Geld kaufen kann. Kinderkleidung zum Beispiel. Schamil braucht längst neue Hosen und Sportschuhe. Eigentlich hat sie ja nur fünf Euro dabei. Aber hingehen und schauen kann sie. Dabei vergeht die Zeit und sie kann wieder zu Frau Emma nach Hause zurück und das Nachtmahl richten. Nachtmahl, sagt Frau Emma – das Wort hat sie ihr gerade beigebracht. Ein sperriges Wort, das ihr nicht so recht über die Lippen gehen will, deshalb übt sie es jetzt und sagt es laut vor: Nasch-tmal …

Lernen

Das mit dem Deutsch-Lernen ist so eine Sache. Sie selbst war nie besonders gut in der Schule. Der Hansi hat beim Lernen nie wirklich Hilfe gebraucht, sie wäre da sicher nicht sehr nützlich gewesen – der Georg hat wenigstens die Mathematik-Aufgaben verstanden, aber sie hat gerade noch Gedichte und englische Vokabeln abprüfen können. Und jetzt sitzt da dieser Bub und fragt ihr Löcher in den Bauch. Zum Glück hat ihr der Hansi vor einiger Zeit einen Laptop geschenkt – zum Geburtstag. Zuerst hat sie ja nichts damit anfangen können. Aber nach und nach hat ihr der Hansi gezeigt, dass sie auf dem besser Patience legen kann als mit den echten Karten, und da hat sie sich doch damit angefreundet. Und jetzt, wo Schamil fragt und fragt und fragt, hat die Emine ihr gezeigt, wie man Antworten auf die Kinder-fragen im Internet finden kann. Na ja, angenehm war ihr das nicht – die Emine hat dauernd die Augen verdreht und ihr zu verstehen gegeben, dass sie sie für blöd hält.

Überhaupt ist die Emine richtig unzufrieden. Sie will die Sa-rema und den Schamil nicht hier haben und sagt dauernd, dass sie der Frau nicht über den Weg traut, und wer weiß, was die zu Hause ausgefressen hat, dort sind doch alle irgendwie in den Krieg verwickelt gewesen, und solche Leute sind eben nicht ver-trauenswürdig. Vielleicht hat sie ja recht, aber Emma braucht Hilfe und Sarema tut immer alles, was Emma ihr sagt, und mit dem Bub zu lernen macht ihr auch ziemlich viel Spaß. Und bald wird die Emine ihr Baby haben und dann wird sie gar keine Zeit mehr zum Herummeckern haben. Hoffentlich bringt sie den Zwerg dann auch zu Emma nach Hause – obwohl sie ihn immer noch heimlich Türkenbankert nennt, freut sie sich inzwischen nämlich schon auch ein bisschen. Der Hansi ist ja immerhin der Vater, und die Luzie kommt ja doch nicht so oft nach Wien.

Schamil soll Sätze schreiben. Emma liest aus dem Lesebuch vor: »Morgen fahren wir ...«

»Nach Hause ...«, sagt Schamil. »Auf Urlaub«, verbessert ihn Emma, der das irgendwie logischer erscheint.

»Was ist Urlaub?«, fragt Schamil.

Emma denkt nach. Wie erklärt man einem Neunjährigen, was Urlaub ist?

»Wenn man wohin fährt, wo man sonst nicht ist, und dort eine Weile wohnt und sich die Gegend anschaut und es sich gut gehen lässt«, sagt Emma, und Schamil nickt und sagt: »Bin ich in Österreich auf Urlaub?«

Emma kommt ins Schwitzen. Was soll sie darauf antworten?

»Nein, du wohnst in Österreich, auf Urlaub wirst du irgendwann zum Beispiel nach Italien fahren, ans Meer«, sagt Emma.

»Was ist Meer?«

Emma weiß nicht mehr weiter. Sie hat noch nie ein Kind getroffen, das nicht weiß, was das Meer ist. Mit dem Hansi sind sie das erste Mal nach Lignano gefahren, da war er fünf! Und von da an waren sie jedes Jahr mindestens zwei Wochen dort. Mit dem Wohnwagen, den sich der Georg immer von seinem Bruder ausgeborgt hat, bevor der alles versoffen und sich aufgehängt hat. Aber an die Geschichte will sie jetzt wirklich nicht denken. Jedenfalls ist es höchste Zeit, dass der Bub einmal richtig Urlaub macht. Das wird sie der Sarema sagen, wenn die vom Spazierengehen zurückkommt.

Schamil hat inzwischen nicht weiter gefragt, sondern seine Sätze brav geschrieben.

»Morgen fahren wir nach Hause.«

»Gestern sind wir nach Hause gefahren.«

»Übermorgen werden wir nach Hause fahren.«

»Zu Hause ist Sulima und Eva und Basil. Und Hof mit Hühnern. Und Wald. Und Berge. Und viel Bomben und Schießen und Tod«, sagt Schamil, als er seine Sätze fertig geschrieben hat, und Emma weiß nicht, was sie darauf sagen soll.

»Mama sagt, jetzt hier zu Hause«, sagt Schamil auch und lächelt. »Ist viel besser, kein Schießen, keine Bomben, keine bösen Männer!«

»Hast du Angst gehabt, Schamil?«, fragt Emma und der Bub wirft sich in die Brust und sagt: »Ich bin Mann, ich habe keine Angst. Mama hat Angst und Tante …«

Und dann kommt Sarema bei der Türe herein, zieht die Jacke aus und fragt: »Nasch-Tmal?«

Am nächsten Tag bringt Emma Schamil ein Kartenspiel bei. Nichts Schwieriges, nicht Canasta oder Rommee, sondern Skip-Bo – das hat sie früher, als die Luzie noch klein war und nicht in Turin gelebt hat, immer mit der Enkelin gespielt und das hat Emma selbst auch immer Spaß gemacht. Also bringt sie es jetzt Schamil bei. Der Bub ist wirklich gescheit, denkt Emma, als Schamil gleich zwei Mal hintereinander gewinnt. Beim Skip-Bo zu gewinnen ist ja meistens Glücksache, aber wie schnell er begriffen hat, wie das Spiel geht …

Emma humpelt zu Sarema in die Küche. Die sitzt am Küchentisch und versucht ganz offensichtlich einen Prospekt zu entziffern, der mit der Post gekommen ist – so ein Werbezettel vom Supermarkt. Sarema liest sich die Worte laut vor und folgt den Zeilen mit den Fingern.

»So lernst du's nie«, sagt Emma und nimmt sich ein Glas Wasser. Sarema steht auf, nimmt ihr das Glas ab und trägt es für sie ins Wohnzimmer. Und Emma humpelt hinterher und sagt: »Fernschauen sollst du und mehr mit mir reden, dann lernst du's …«

»Sprechen schwer«, sagt Sarema und deutet mit dem Zeigefinger auf ihre linke Brust, »viel Weinen da …«

Na ja, denkt Emma, was die aber auch alle immer so dramatisch sein müssen. Wieso soll sie sich das anhören, was die Sarema zum Weinen bringt? Hat sie nicht genug eigene Sorgen mit Hansis verschiedenen Frauen und Kindern und dem Georg im Pflegeheim? Den muss sie übrigens dringend besuchen fahren, seit dem Unfall war sie noch gar nicht bei ihm, und jetzt, wo das Baby von der Emine jeden Tag kommen kann, wird der Hansi auch andere Sorgen haben.

Am nächsten Tag sagt Emma zu Sarema, dass sie jetzt einen kleinen Ausflug machen, und Sarema schaut sie an und fragt: »Au-Fug?«

»Na ja, weg gehen wir, meinen Mann im Pflegeheim besuchen …«

»Mann krank?«

»Ja, eigentlich Ex-Mann, aber na ja …«

Sarema schaut verständnislos und hilft Emma dann in den einen Schuh, den sie anziehen kann. Dann humpelt Emma zum Lift, hängt sich auf der Straße bei Sarema ein, und so gehen sie zur Straßenbahn. Unterwegs treffen sie die Herta, die zur Kaffeerunde gehört, bei der Emma seit dem Unfall auch nicht mehr war, und die Herta fragt Emma, ob das da ihre neue Pflegerin sei. Emma nickt unbestimmt, dann kommt die Straßenbahn und Sarema sagt: »Fegerin?«

»Na ja, du bist doch bei mir, weil ich Hilfe brauch, nicht wahr? Also bist du meine Pflegerin …«

Georg freut sich sehr. Der Arme ist ja sonst ganz allein, die Herausforderung kriegt jetzt sogar ein Kind von ihrem Neuen. Emma sagt nichts, findet aber, dass dem Georg recht geschieht.

Wie der auch gleich wieder Pfauenräder schlägt, weil sie die Sarema mitgebracht hat – er bleibt einfach ein Hallodri. Auch im Rollstuhl spielt er noch den Aufreißer aus dem Stadionbad. Dabei findet sie ja nicht, dass die Sarema so besonders ausschaut – na ja, jung ist sie schon noch, aber hübsch?

Der Georg jedenfalls ist kaum zu stoppen und redet und redet – auch wenn man ihn nur schlecht versteht, aber das macht nichts, weil die Sarema ihn auch nicht verstehen würde, wenn er nicht alles vernuscheln würde.

Wie er sich auf den Türkenbankert freut, der Alte. Natürlich sagt er nicht Türkenbankert, sondern Baby. Er nuschelt, dass es hoffentlich ein Bub wird und dass er ihn oft besuchen kommen soll, und Sarema nickt freundlich, lächelt, wischt ihm den Sabber vom Kinn und ist überhaupt sehr nett zum Georg. Dann nimmt sie Emma wieder am Arm und begleitet sie nach Hause und macht ihr Nasch-tmal …

Eigentlich findet Emma das Leben ganz angenehm. Der Gipsfuß ist zwar lästig, und Kochen kann die Sarema auch nicht wirklich. Aber dass sie sich jetzt um fast nichts kümmern muss, ist schon fein. Früher hat sie alles gemacht, für sich, für den Hansi und auch für den Georg, bevor der mit den Herausforderungen angefangen hat. Am Samstag hat sie erst eingekauft – da hat ihr der Georg geholfen. Aber dann hat er sich auf das Sofa gelegt und geschlafen, und sie hat die Wohnung geputzt und am Sonntag hat sie gebügelt. Und natürlich hat sie gekocht am Wochenende für die ganze Woche, damit sie nicht jeden Abend so lange braucht. Und der Georg hat ferngesehen oder ist ins Stadion gegangen, wenn Rapid gespielt hat. Und den

Hansi hat er auch mitgenommen, bis der irgendwann gesagt hat, dass ihm Fußball eigentlich egal ist.

Jetzt hat sie's wirklich viel besser. Einkaufen geht die Sarema. Die bringt zwar manchmal komische Sachen mit, weil sie nicht versteht, was Emma ihr aufträgt, aber mit der Zeit wird sie's schon lernen. Emma wird ihr auch noch beibringen, wie man einen ordentlichen Schweinsbraten und Semmelknödel macht. Also nein, das mit dem Schweinsbraten wird nichts werden. Aber wenigstens Knödel. Und zur Not gibt sich Emma auch mit einem Rindsbraten zufrieden. Schinkenfleckerln muss sie leider auch vergessen, bis sie selber wieder kochen kann. Aber das kann sie verschmerzen – denn dafür wird sie verwöhnt wie in einem Fünf-Sterne-Hotel. Seit sie der Sarema den Bäcker an der Ecke gezeigt hat und die Kipferln, die sie gern in der Früh zum Kaffee isst, bringt die ihr jeden Morgen zwei mit. Natürlich gibt ihr Emma das Geld dafür, das arme Hascherl hat ja keins. Richtigen Kaffee zu machen, hat sie der Sarema auch erst beibringen müssen. Die hat doch glatt das Pulver in einen Topf gegeben, Wasser draufgeschüttet und das Ganze lang gekocht. War nicht zum Trinken! Das hat sie der Sarema dann aber schnell erklärt – oder besser dem Schamil, der es der Sarema erklärt hat – und jetzt kriegt sie jeden Tag, wenn sie aufsteht, ihren Filterkaffee und ihr Kipferl.

Eigentlich ist sie in ihrem Leben noch nie wirklich verwöhnt worden. Daran könnte sie sich gewöhnen. Auch an den Buben, der sich sogar mit der Mitzi angefreundet hat, die sonst ein eher unfreundliches Vieh ist. Sogar wenn sie ihm Sätze diktiert oder mit ihm rechnet, unterhält sie sich gut, weil der Bub so aufgeweckt ist. Das gefällt ihr.

Einmal hat Sarema von einer Tante erzählt, die so gut gekocht hat, aber jetzt tot ist. Da hat Emma ein entsprechendes Gesicht aufgesetzt und gesagt, dass ihr das sehr leidtut. Aber als sie Sarema gefragt hat, wo Schamils Papa eigentlich ist, hat die fast zu weinen begonnen. Da hat Emma schnell von was anderem geredet, denn was hätte sie tun sollen, wenn die wirklich in Tränen ausgebrochen wäre? Schreckliche Zustände müssen dort bei denen herrschen, jeder, von dem sie redet, scheint tot zu sein.

Dort bleibt man natürlich nicht gern, denkt Emma und wendet sich dann schnell wieder der Frage zu, was sie denn dem Türkenbankert zur Geburt schenken soll. Die Emine ist schon so rund, dass sie kaum noch richtig gehen kann, also wird's sicher jeden Augenblick so weit sein. Und sie will sich auf keinen Fall nachsagen lassen, dass sie nicht genug Geld ausgibt für das zweite Enkerl. Der Hansi hat gesagt, was sie gerne hätten, wäre so ein neues Wagerl – so eines hat sie noch nie gesehen. Er hat's ihr am Computer gezeigt und Emma hat gefunden, dass das Ding mindestens Klavierspielen und Wäschewaschen können muss, so wie das aussieht. Ganz schön teuer ist der Baby-Mercedes mit den drei Rädern auch noch, und überhaupt: ein Kinderwagerl mit drei Rädern – so was kann sich auch nur eine wie die Emine einbilden.

Na ja, da hat sie halt das Sparbuch geplündert. Eigentlich hätte es ein billigeres Wagerl auch getan. Noch dazu bringt der Hansi das Riesending heute Abend zu ihr nach Hause, weil die supermoderne Emine so abergläubisch ist, dass sie vor der Geburt keine Kindersachen im Haus haben will. Auf dem Bett in Hansis ehemaligem Zimmer türmen sich deshalb schon seit Wochen Strampelanzüge und Windelpackungen. Aber das macht Emma nichts aus, weil der Hansi wegen diesem Theater fast jeden Tag wenigstens auf einen Sprung vorbeikommt.

Sarema schlägt sich mit einer Hand auf den Mund, als sie das Super-Wagerl sieht. »Baby?«, fragt sie dann und geht um das Ding herum. »Nicht gut, fallen ...«, sagt sie auch und lacht vergnügt. Hansi lacht auch und sagt, so fahren die Herrschaften heutzutage eben spazieren. Emma findet das nicht sehr komisch, vor allem weil der Hansi ihr gerade die Rechnung gezeigt hat. Sarema kutschiert einstweilen probeweise mit dem Wagerl den Gang hinauf und hinunter und kichert wie ein kleines Mäderl, und Emma wundert sich, weil sie sie noch nie so vergnügt gesehen hat.

Am nächsten Tag kommt Schamil mit einer aufgeplatzten Lippe aus der Schule. Sarema und er reden laut und aufgeregt in der Küche und Emma versteht nichts. Also humpelt sie zur Tür und baut sich dort auf. Sarema ist ziemlich grün im Gesicht, Schamil wiederum ziemlich rot.

»Was ist denn passiert?«, fragt Emma.

Sarema macht eine Geste mit beiden Händen, als ob sie jemanden verprügelte.

»Was, du hast gerauft? Geh, das glaub ich jetzt nicht ...«, sagt Emma, aber Schamil kneift die Lippen zusammen und sagt nichts.

»Wieso?«, fragt Emma.

»Dummer Michael, sagt immer blöde Worte.«

»Was denn?«

»Blöde Worte eben«, sagt Schamil und schaut trotzig. Was sind blöde Worte? Emma schaut Sarema fragend an, aber die sieht weg und Emma bemerkt, dass ihr schon wieder die Tränen in den Augen stehen.

»Also was hat der dumme Michael zu dir gesagt? Sag's mir jetzt!«

»Hat gesagt, Kind ohne Papa Bastard und Mama schlechte Frau ...«

Und dann macht Sarema doch den Mund auf und sagt, Schamil hat ja einen Papa, der ist aber tot. Sie murmelt etwas von einer Explosion und dass das im Krieg passiert ist, und da tut Emma der Bub so leid, dass sie ihm fünf Euro in die Hand drückt und sagt, er soll sich was Süßes beim Bäcker holen. Und Schamil schaut ganz glücklich und dankt höflich. Sarema lächelt und sagt wieder, dass Emma ein guter Mensch ist. Und das macht Emma dieses Mal wirklich ganz verlegen.

Geburt

Was soll sie tun?

Schamil ist kein Bastard, wenn sie könnte, hätte sie dem Kind, das ihn so genannt hat, eine Tracht Prügel gegeben. Aber sie traut sich nicht einmal in die Schule, weil Schamil für sie übersetzen müsste, und was sie der Lehrerin sagen will, soll er nicht hören.

Ob sie die Frau Emma bitten kann, mit in die Schule zu kommen und mit der Lehrerin zu reden? Aber wie soll sie ihr erklären, was sie der Lehrerin sagen soll? Vielleicht könnte sie den Herrn Hans fragen, der wüsste sicher, was zu tun ist. Aber der ist ganz mit seinem Baby und seiner Frau beschäftigt, den will sie nicht stören.

Was soll sie also tun?

Sie wird Schamil sagen, dass er sich nicht prügeln darf. Dass er dem dummen Michael aus dem Weg gehen soll. Dass er natürlich einen Papa gehabt hat und dass seine Mama eine sehr anständige Frau ist und dass der Michael eben dumm ist. Aber ob das hilft?

Die Frau Emma war so nett und wollte Schamil trösten. Aber sie weiß nicht, wie man im Krieg in dem kleinen Land Tschetschenien lebt, sie kann sich ja nicht einmal vorstellen, wo das liegt. Sie weiß nicht, was es heißt, jede Nacht die Stimme zu hören, die Hände zu spüren und den Alkoholatem zu riechen. Sie weiß nicht, was Angst ist. Wie man lebt, wenn alle, die man geliebt hat, tot sind, und man nicht weiß, ob die kleine Schwester, die man mit großgezogen hat, noch lebt.

Niemand hier in diesem reichen, satten Land weiß, wie das ist. Niemand, außer die, die so wie sie hierher gekom-

men sind, weil sie zu Hause nicht bleiben konnten. Aber die
können ihr auch nicht helfen, die können sich ja nicht einmal
selbst helfen.

Als sie am nächsten Tag zu Emma kommt, humpelt ihr diese
freudestrahlend entgegen.

»Das Baby ist da, es ist ein Bub, ist das nicht fantastisch?«

Sarema lächelt und denkt an ihren toten Sohn, Schamils
älteren Bruder. Und an das namenlose Mädchen. Die Toten
sitzen auf ihren Schultern und drücken schwer, denkt sie, während sie freundlich lächelt und Emma die Hand schüttelt, als
Zeichen, dass sie ihre Freude versteht und teilt.

»Ein großer, gesunder Bub!«, ruft Emma freudestrahlend.
»4 Kilo und 52 Zentimeter – ein richtiger Riese. Na ja, kein
Wunder, so dick, wie die Emine am Schluss schon war …«

Frau Emma ist sehr aufgeregt und Sarema fragt sich, ob sie
irgendwann einmal auch voller Freude die Geburt eines Enkels
erleben wird. Dazu muss sie gut auf Schamil aufpassen und
niemals zulassen, dass der Mann und seine Kumpanen ihm
etwas antun.

Aber wenn sie sie nicht hier bleiben lassen? Wenn sie sie
zwingen, zurückzufahren? Zurück nach Grosny? Wie soll sie
Schamil dann beschützen? Jetzt, wo sie ganz alleine auf der
Welt sind, sie und ihr einziger überlebender Sohn?

»Bin gespannt, wie sie ihn nennen werden«, sprudelt Frau
Emma weiter. »Ist ja schon wichtig, wie einer heißt, findest du
nicht?«

Sarema hat ihre Kinder nach Verwandten genannt. Nur
das namenlose Mädchen nicht, weil es zu früh gestorben
ist. Das hätte sie gerne Eva genannt, nicht wegen Basils Eva,
sondern wegen ihrer Urgroßmutter, die so geheißen hat und

von der ihre Mutter immer mit großer Ehrerbietung gesprochen hat.

Aber Frau Emma fragt jetzt, welche Namen ihr für einen
Buben denn gefallen würden, und Sarema denkt krampfhaft
nach, aber es fallen ihr nur die Namen der Männer in ihrer
Familie ein – und die will sie nicht sagen, die Namen der Toten.
Die kann man doch nicht einem fremden Kind geben, das gar
nichts weiß von dem Land, in dem ihre Toten zu Hause waren,
das wahrscheinlich nie etwas von ihnen und ihrem Leben und
Sterben wissen wird …

»Scharif …«, nennt sie dann zögernd, den Namen ihres
älteren Bruders, der Tote, dem sie sich am wenigsten verbun-
den fühlt.

»Scharif? Wie Omar Scharif? So kann man doch kein Kind
nennen«, sagt Emma und zählt dann ihre eigenen Lieblings-
namen auf: Konrad, Philipp, Josef …

Sarema gefallen die fremden Namen, die Frau Emma auf-
zählt. Sie klingen reich und satt und sicher und passen gut zu
einem Kind, das in diesem reichen, satten, sicheren Land geboren ist und aufwachsen wird. Gute Namen, sichere Namen. Das
versucht sie Frau Emma zu sagen. Aber Frau Emma lacht und
gibt ihr einen Klaps auf den Arm und sagt, sie solle nicht immer so ernste Gedanken wälzen, heute sei ein Tag zum Feiern,
und sie, Sarema, werde jetzt nicht nur ein paar Köstlichkeiten
einkaufen gehen, die Emma ihr aufschreiben wird, sondern zur
Feier des Tages auch eine Flasche Sekt. Auf eine solche Geburt
müsse man anstoßen und der Herr Hans werde später vorbei-
kommen und sich freuen, wenn es etwas zum Trinken gebe.

Und dann setzt Frau Emma sich an den Küchentisch und
schreibt eine lange Liste, und Sarema fragt sich, ob sie auch
alles finden wird, was ihr da aufgetragen wird.

Später irrt sie ziemlich lange durch den Supermarkt, bis sie glaubt, alles gefunden zu haben. Nach dem Sekt muss sie fragen – Sekt hat sie noch nie getrunken.

Es ist schön, dass Frau Emma feiern will – aber Sarema versteht nicht, warum sie nicht auch Emines Eltern und Brüder zu der Feier einlädt und ihre eigenen Verwandten, die sie doch wohl haben muss. Und warum Frau Emmas Mann in diesem Heim ist, wo er den ganzen Tag im Bett liegt. Das hat die strenge Frau Emine einmal im Zorn zum Herrn Hans gesagt und da musste Sarema ihr recht geben, dass das keine gute Sache sei.

Am Abend kommt Herr Hans zu Besuch. Er ist ein bisschen blass und hat Ringe unter den Augen. Die Geburt hat sehr lange gedauert, sagt er, und die arme Emine war schon ganz erschöpft, aber am Ende hat es dann doch gut geklappt. Sarema denkt an die Entbindung im Bombenkeller – aber das kann sie Frau Emma und Herrn Hans natürlich nicht sagen. Also bringt sie die Brötchen, die sie heute nach Frau Emmas Anweisung geschmiert und belegt hat, herein und diese merkwürdigen Süßigkeiten, von denen Frau Emma sagt, sie seien die Lieblingsspeise von Herrn Hans. Und dann ruft Frau Emma, sie solle nicht vergessen, den Sekt aus dem Eiskasten zu nehmen, die Sektgläser stünden in der Kredenz im Wohnzimmer. Sarema versteht nur Sekt – und bringt die eisgekühlte Flasche ins Wohnzimmer, und weil man ja auch Gläser braucht, bringt sie die Wassergläser aus der Küche. Frau Emma schaut böse und Herr Hans lacht und holt aus dem Kasten im Wohnzimmer drei schmale, schlanke Pokale. Er schenkt ein und gibt auch Sarema einen solchen Pokal in die Hand. Sarema weiß nicht, was sie damit anfangen soll, weil sie noch nie Alkohol getrunken hat und auch jetzt keinen trinken will. Der Geruch erinnert sie an den Mann und an den will sie jetzt auf keinen Fall denken. Aber Emma und Hans stoßen die Pokale aneinander und lachen und trinken Sekt und schmatzen mit den Lippen und sagen, dass er köstlich schmecke und Sarema solle doch wenigstens ein Schlückchen kosten. Sarema hebt das Glas an die Lippen und tut so, als würde sie trinken. Dann stellt sie es ab und geht schnell in die Küche.

Aus dem Zimmer hört sie die Gläser klirren und Frau Emma lachen. Und sie denkt an Sulima, die Frau Emma so ähnlich war und doch so ganz anders. Hat Magomed jemals gefeiert, bei der Geburt von Ramsan oder Schamil? Die Geburt des namenlosen Mädchens hat er ja nicht mehr erlebt, aber sie weiß, dass er sich über Ramsan gefreut hat und über Schamil. Aber Magomed hat nie getrunken, auch damals nicht, nicht einmal bei ihrer Hochzeit, und das war einer der Gründe, warum sie ihn genommen hat. Und Sulima hat Basil immer wieder beschimpft, weil er zu oft betrunken nach Hause gekommen ist.

Aber Frau Emma und Herr Hans lachen und sie denkt, dass Herr Hans sicher niemanden schlagen wird, wenn er betrunken ist.

Schamil hat sie ins Flüchtlingsheim zurückgeschickt, als Frau Emma den Sekt bestellt hat. Das ist nichts für ihn. Wenn er sieht, wie die beiden trinken, wird er sich das vielleicht auch angewöhnen – und er darf doch nicht so werden wie die Männer, die Lisa verschleppt haben, oder gar wie der mit der Stimme.

Jetzt ist sie unruhig, weil sie ihn weggeschickt hat. Es wird so viel geredet und es gibt so viele Gefahren. Und wenn sie ihn holen? Und sie ist nicht da, um ihn zu verteidigen? Sie muss zu ihm, jetzt gleich – und Herr Hans ist ja ohnehin da.

Vorsichtig schaut sie ins Wohnzimmer und sagt leise, dass sie jetzt gehen müsse. Herr Hans nickt bedauernd und Frau Emma schaut ein bisschen missmutig, aber das ist sie inzwischen gewöhnt. Das macht ihr nichts aus, weil sie ja weiß, dass Frau Emma einfach nicht gerne alleine bleibt und sie immer so lange wie möglich aufhält. Auch wenn sie Sarema noch nie gesagt hat, dass sie sich freut, wenn sie zu ihr kommt. Aber auch das macht ihr nichts aus. Morgen wird sie aufräumen und einkaufen und sich von Frau Emma erzählen lassen, was die ihr über den neuen Buben alles erzählen will. Aber jetzt muss sie zu Schamil.

Als sie in ihr kleines Zimmer kommt, schläft Schamil schon. Auf dem Tischchen liegt sein Aufgabenheft – er hat alles gemacht, ganz alleine, ohne Frau Emma. Er ist so ein guter Bub. Ihr einziger Sohn, der einzige Mensch auf der Welt.

Sarema geht in die Gemeinschaftsküche und stellt Teewasser auf. Am Küchentisch sitzt Ninó und schält Nüsse. Ninó kommt aus Georgien und kocht immer mit Nüssen. Um Geld zu sparen, kauft sie nicht die geschälten im Supermarkt, sondern die ganzen auf dem Markt. Und dann verbringt sie lange Tage in der Küche im Heim und knackt Nüsse. Manchmal setzt sich Sarema zu ihr und sie unterhalten sich. Über dieses Land, in das sie geraten sind, ohne es zu wollen. Darüber, wie ihre Asylverfahren laufen. Sarema hat schon lange nichts mehr gehört und fragt sich, ob das ein gutes oder ein schlechtes Zeichen ist. Ninó sagt, dass Sarema sicher bleiben kann, wo sie doch allein ist mit Schamil. Ihre eigene Lage sei sehr viel schlimmer. Ihr Mann sei zwar sehr krank, aber die Leute im Heim hätten ihr gesagt, dass man Menschen aus Georgien nicht hier bleiben lasse, weil das doch ein demokratisches Land sei, wo Frieden herrsche.

»Frieden«, sagt Ninó und lacht bitter.

Frieden gebe es in Georgien nur für Georgier, nicht für Leute wie sie und ihren Mann. Er ist Ossete, sie Georgierin, und für sie gebe es nach dem idiotischen Krieg mit Russland und der idiotischen ossetischen Unabhängigkeitserklärung kein Leben mehr. Ihr Haus an der ossetisch-georgischen Grenze sei im Krieg zerstört worden, Verwandte hätten sie auch keine mehr – und auf Arbeit könnten sie auch nicht hoffen. Wenn sie zurück müssten, würden sie verhungern.

Sarema hört zu und knackt Nüsse. Und hört die Stimme. Und denkt, dass sie genauso wenig wie Ninó weiß, wie sie weiterleben soll, wenn man sie nicht bleiben lässt.

»Heute früh, als du schon weg warst, haben sie Khan abgeholt«, sagt Ninó leise, und Sarema schaut sie entsetzt an. »Khan?«

»Ja – sie haben ihm Handschellen angelegt und ihn mitgenommen! Er hat geschrien und sich gewehrt, deshalb Handschellen. Und dann haben sie gesagt, er soll den Mund halten und dass sein gratis Flieger nach Hause morgen früh geht und er sich bedanken soll, dass er fürs Ticket nicht zu zahlen braucht«, sagt Ninó leise und knackt weiter Nüsse.

»Aber er wird dort doch umgebracht«, sagt Sarema verstört – und hört den Mann flüstern, dass er wisse, wo er sie und Schamil finde.

»Ja«, sagt Ninó und lacht wieder dieses Lachen, das wie Weinen klingt. »Aber das ist denen egal … Wir haben heute auch den Bescheid bekommen, dass wir weg müssen …«

Und dann rinnen ihre Tränen in die geschälten Nüsse, und Sarema weiß nicht, was sie sagen soll, und umarmt sie einfach.

»Man kann sicher etwas dagegen tun«, sagt sie, aber Ninó schüttelt nur den Kopf und sagt dann, man habe ihr erklärt, dass sie die medizinische Versorgung für ihren Mann, der

Diabetiker ist und Parkinson hat, auch in Georgien bekommen könne und deshalb gebe es keinen Grund, sie hierzubehalten.

»Aber keiner sagt mir, wo ich das Geld für seine Medikamente herkriegen soll«, schluchzt Ninó, die von Beruf Verkäuferin war und jetzt kaum mehr eine Arbeit finden wird und auch nicht weiß, wo sie mit ihrem kranken Mann unterkommen kann.

Sarema weiß nicht, was sie sagen soll. Also umarmt sie Ninó noch einmal und die hält ihr die Schüssel mit den geschälten Nüssen hin und sagt: »Nimm, ich werde sie nicht mehr brauchen.« Und geht aus der Küche, langsam, schleppend und mit gesenktem Kopf, als müsse sie einen schweren Rucksack tragen.

Später sitzt Sarema auf dem Boden neben Schamil, sieht ihm beim Schlafen zu und denkt und denkt. Und denkt immerzu im Kreis. Und findet keine Lösung. Und fragt sich, ob es helfen kann, dass sie die »Pflegerin« von Frau Emma ist.

Georg

Emma schaut Fotos an.

Luzie als rundes, blondes, blauäugiges Baby. Mit Hansi und Luise am Millstättersee. Das Foto hat Georg gemacht – das war einer der letzten Urlaube, die sie alle miteinander verbracht haben. Also wirklich glücklich waren sie da nicht mehr, aber Luzie hat sie alle irgendwie zusammengeschweißt. Sie hat als Baby viel geweint und wollte dauernd herumgetragen werden, und das muss man dem Georg lassen, als Opa war er ziemlich nett.

Neben Luzies Babyfoto liegt ein großes Blatt, auf dem der Türkenbankert zu sehen ist. Nein, so wird sie ihn jetzt nicht einmal mehr in Gedanken nennen, den süßen Buben – obwohl man's ihm schon ansieht, dass er ein Türkenbankert ist.

Ein rundes Kopferl voller schwarzer Haare hat er und dunkelbraune Augen, aber die Nase und der Mund vom Hansi. Süß ist er schon – ihr wär halt lieber, er würde ihrer Familie ein bisserl ähnlicher sehen. Obwohl, die Luzie ist ja später auch brünett geworden – und seit sie in Turin wohnt, hat sie überhaupt bei jedem Wien-Besuch eine andere Haarfarbe. Das wird der Bub wenigstens sicher nicht machen.

Der Bub. Sie kann immer noch nicht glauben, wie sie den genannt haben: Georg! Und Tarik mit zweitem Vornamen. Ausgerechnet Georg – nach dem Opa, hat der Hansi gesagt.

Was bitte hat der Georg je für den Hansi oder die Emine oder den Buben getan?

Weggegangen ist er mit der Herausforderung und jetzt lässt er sich von ihr bemitleiden, weil ihm die Herausforderung den Laufpass gegeben hat. Und zur Belohnung nennt der Hansi seinen Türkenbankert Georg?

Und Tarik? Was soll das denn für ein Name sein? Georg Tarik? Das klingt ja schrecklich. Der arme Bub. Wie die den in der Schule auslachen werden, das will sie sich gar nicht vorstellen.

Aber ausgerechnet Georg. Eine Kränkung ist das. Wo der so gemein war zu ihr. Und jetzt wird sie jedes Mal daran denken müssen, wenn sie den Bub sieht. Na ja, so wie sie die Emine kennt, wird die ihr den Zwerg eh nicht oft bringen.

Auf einmal tut sich Emma schrecklich leid, und als Sarema mit den Einkäufen bei der Türe hereinkommt, beklagt sie sich ausführlich. Und Sarema schaut verständnislos, obwohl ihr Emma wirklich schon viel Deutsch beigebracht hat, und sagt dann, dass sich das doch so gehöre, dass man die Kinder nach den Großeltern nennt, und wenn es ein Mädchen geworden wäre, hätten sie es sicher Emma genannt.

»Eben nicht!«, schreit Emma und erinnert sich, wie sie erschrocken ist, als Luise ihr gesagt hat, dass Luzie Luzie heißen werde.

»Gemein und undankbar sind sie!«, schreit Emma noch und humpelt wütend in ihr Schlafzimmer.

Es geht ihr erst wieder besser, als Schamil aus der Schule kommt und ihr heimlich zuzwinkert.

Gestern hat er nämlich als Hausübung einen Aufsatz schreiben müssen und nicht gewusst, was er erzählen soll. Das Thema war »Eine schöne Erinnerung«. Was kann der arme Bub denn schon für schöne Erinnerungen haben! Da hat Emma sich eine ausgedacht und Schamil hat sie aufgeschrieben. Und jetzt lacht er verschmitzt, zieht sie ins Wohnzimmer und zeigt ihr sein Heft mit einem dicken Einser unter dem Aufsatz. Und verbeugt sich ganz tief vor ihr und sagt: »Danke, Tante Emma, du bist wunderbar und immer hier bei mir«, und dann klopft er sich mit ziemlich theatralischer Geste auf den Brustkorb. Und da muss Emma fast weinen und vergisst die Kränkung und die Namen vom Türkenbankert.

Georg Tarik. Weil Emines Vater Tarik heißt. Also heißt der Bub jetzt wie seine beiden Großväter – da hat Sarema schon recht, das gehört sich wirklich so. Aber es passt ihr trotzdem nicht. Gefragt hat sie auch keiner. Und jetzt ist der Bub schon eine Woche alt und sie hat ihn noch gar nicht richtig gesehen. Nur einmal hat sie der Hansi mit in die Entbindungsstation genommen, da ist die Emine gesessen und hat den Zwerg auf dem Arm gehalten. Und wollte ihn niemand anderem geben, nicht einmal dem Hansi, der nur gelacht und gesagt hat, sie müsse sich erst daran gewöhnen, dass sie jetzt so ein Zwetschkerl hat. »Zwetschkerl« sagt der Bub zu seinem Sohn. Also sie hat immer nur Hansi zu ihm gesagt, der Georg hat sich auch manchmal irgendwelche blöden Namen ausgedacht, einmal hat er einen Monat lang nur Pumuckl zum Hansi gesagt, da war der fünf Jahre alt und ziemlich klein. Aber das hat sie ihm dann ganz schnell wieder ausgetrieben. Und jetzt sagt der ehemalige Pumuckl Zwetschkerl zu seinem frischgebackenen Sohn.

Und Emine? Die strahlt und lacht und sagt irgendwas auf Türkisch zum Buben und der Hansi strahlt auch und sagt, das Zwetschkerl wird gleich von Anfang an deutsch und türkisch sprechen und was das für ein Glück ist. Emma findet das gar kein Glück, weil sie ja nichts versteht, wenn Emine türkisch mit dem Zwerg redet. Aber was soll sie machen – auf sie hört ja ohnehin keiner.

Sarema redet ja auch immer in ihrem Tschetschenisch mit dem Buben, und Emma ärgert sich jedes Mal, weil sie ja schon neugierig ist, was die immer miteinander zu besprechen haben, ohne ihr davon zu erzählen.

Manchmal sagt Sarema, dass schon wieder einer aus dem Heim abgeholt worden ist. Und Emma denkt, das wird schon seine Richtigkeit haben, so ohne Grund werden die die Leute schon nicht abholen. Ist halt schlecht für den Buben, dass der in so einer Umgebung aufwächst, wo er doch so aufgeweckt ist. Und seit er immer am Nachmittag bei ihr ist und sie ihm bei den Deutsch-Aufgaben hilft, gehört er in der Klasse sogar zu den Besten.

Sie hat in der Kiste unter Hansis Bett seine alten Kinderbücher ausgegraben, damit Schamil was zum Lesen hat. Und der hat sich gefreut wie ein Schneekönig. Sie glaubt wirklich, dass aus dem Buben was werden kann. Und jetzt will er ihr Schachspielen beibringen. Das hat er zu Hause gelernt, bei einem Onkel, sagt er, und Sarema will nicht mit ihm spielen. Im Heim gibt's keinen Buben in seinem Alter und die in der Schule interessiert das auch nicht. Also will er es Emma beibringen, aber die findet das langweilig und schaut lieber eine Serie im Fernsehen. Natürlich nur, wenn der Schamil nicht da ist, weil Fernsehen ist ja nicht so gut für Kinder, findet Emma. Wie der Hansi klein war, hat sie ihn immer nur die Gute Nacht-Sendung anschauen lassen, mehr nicht. Aber heutzutage sitzen die Fratzen ja den ganzen Tag vor dem Kastel und werden ganz blöd davon. Früher, da war sowieso alles anders. Eine Nicht-Hochzeit und ein halb-österreichisches Kind, das mit zweitem Vornamen Tarik heißt, hätt's zu ihrer Zeit nicht gegeben. Wenn sie den Kleinen jetzt wenigstens einmal hutschen dürfte. Aber der Hansi sagt, die Emine braucht noch Zeit. Wofür braucht die Zeit? Kind ist doch Kind? So klein, wie der Bub ist, will er eh nur trinken und schlafen und saubere Windeln haben.

Aber den Georg, den Opa Georg, den muss sie jetzt doch wieder einmal besuchen fahren – obwohl das mit dem Gips wirklich nicht so einfach ist. Aber schließlich ist sie ja nicht so ein Unmensch wie seine Herausforderung, die hat sich nie gekümmert. Morgen wird sie wieder die Sarema mitnehmen und zum Georg ins Heim fahren und ihm die Fotos mitbringen, die der Hansi ihr vom »Zwetschkerl« gebracht hat. Da wird er sich freuen, und sie kann sich ein bisserl wichtig machen, weil sie den Buben schon gesehen hat, den kleinen Türken.

Aber die Freude hat ihr der Hansi leider verpatzt. Der war seinen Papa nämlich schon nach der Geburt vom kleinen Georg besuchen und hat ihm die gleichen Fotos mitgebracht wie ihr. Und die hängen jetzt gut sichtbar gegenüber vom Bett des alten Georg und der strahlt und nuschelt, dass er so froh ist, weil es jetzt endlich noch einen Mann in der Familie gibt. Und Emma ärgert sich – über den Hansi und den alten Georg und über die Emine sowieso, die auf den beiden Namen für den Buben bestanden hat. Und über die Sarema, die die Fotos nicht einmal anschaut und dafür dem Georg die Pölster richtet und Wasser bringt und ihm auch noch die Hand streichelt, als ob er ein Verwandter wäre. Und sie spielt schon wieder nur die zweite Geige – wo sie doch das Geld für den teuren Kinderwagen hergegeben hat.

Aber dann – am folgenden Sonntag – kommt endlich die ganze kleine Nicht-Familie, also Hansi, Emine und das Baby – auf Besuch. Sarema hat Gugelhupf eingekauft und Schaumrollen und Schinken und Presswurst und Handsemmeln und noch so manche andere Köstlichkeit. Emma weiß natürlich, dass die Emine das alles nicht essen wird, aber schließlich hat ihr großer Bub, der Hansi, ja auch einen Sohn gekriegt und das ist ein Grund zum Feiern.

Das mit dem Einkaufen war gar nicht so leicht, weil Sarema sich das Wort Gugelhupf nicht hat merken können und immer Kuchehup gesagt hat, das hätte aber beim Bäcker keiner verstanden. Also hat Emma in ihrer schönsten Schrift alles aufgeschrieben und die Sarema mit der Liste losgeschickt. Die hat dann wirklich alles gebracht, was Emma wollte. Also sprachbegabt ist sie ja wirklich nicht und kochen, so wie Emma das gewohnt ist, kann sie auch nicht. Aber eines muss man ihr lassen, putzen kann sie. Seit sie da ist, ist Emmas Wohnung so sauber wie nie zuvor.

In ein paar Tagen kommt der Gips runter, dann wird alles wieder leichter, aber die Sarema und der Schamil müssen trotzdem weiter zu ihr kommen, weil der Doktor bei der Kontrolle gesagt hat, dass sie noch ziemlich lang Schmerzen haben wird und sich schonen muss, damit das Bein wieder ganz gesund wird. Eigentlich ist Emma froh darüber, weil es doch ganz nett ist, dass die beiden jeden Tag da sind, auch wenn sie das nie zugeben würde und sie ihr manchmal auch auf die Nerven gehen.

Und dann sind sie gekommen. Emine hat sich den Kleinen einfach auf den Bauch gebunden und ihn immer noch nicht hergeben wollen. Emma hatte sogar Schwierigkeiten, ihn genauer anzuschauen. Erst als sie sich zum Kaffee hingesetzt haben, hat sie den Kleinen dem Hansi gegeben und ist in die Küche gegangen, um sich einen Tee zu kochen, weil sie doch stillt und deshalb keinen Kaffee trinkt.

Die Emine hat jetzt auch plötzlich einen Busen wie ein Eckhaus, und wie der Kleine einmal kurz piepst, zieht sie sofort mitten in Emmas Wohnzimmer ihren Pullover hoch und gibt ihm die Brust. Emma schaut geniert weg, aber Sarema, die gerade mit Emines Tee ins Zimmer kommt und doch sonst so gschamig ist, macht das gar nichts. Sie stellt Emine den Tee hin und streichelt über den Kopf des trinkenden Babys und redet dann leise mit Emine. Und die hört ihr zu und lächelt sie sogar freundlich an und da versteht Emma endgültig die Welt nicht mehr, denn bisher hat Emine doch von Sarema gar nichts wissen wollen.

Und dann zückt der Hansi seinen Fotoapparat und knipst wie wild die stillende Emine und Sarema daneben, und dann fordert er Emma auf, sich auch noch danebenzustellen, und macht noch wer weiß wie viele Fotos. Emma ist das alles irgendwie unangenehm, obwohl sie den Kleinen wirklich süß findet und ihn gern ein bisserl auf dem Arm hutschen würde.

Dann legt die Emine ihn auch noch ganz selbstverständlich auf den Diwan, zieht aus der Tasche eine Decke heraus, legt sie unter sein kleines Popscherl und wechselt ihm die Windel. Und Emma denkt, dass sie das auch nie so öffentlich gemacht hat, wie der Hansi ein Baby war. Aber diese Emine ist eben ganz anders als sie. Die Luise hat das bei der Luzie doch auch nicht gemacht, oder erinnert sie sich einfach nicht mehr? Jedenfalls ist Emma am Schluss ganz froh, dass alle wieder nach Hause gehen und sie ihre Ruhe hat. Und denkt sich, dass es ganz angenehm ist, mit der immer dickeren Mitzi allein zu sein – vor allem, seit Sarema sich um den Haushalt kümmert, ohne dass Emma das etwas kostet, und Schamil kommt und mit ihr Karten spielt.

Und dann stirbt Georg, der ältere. Ganz plötzlich.

Zwei Tage, nachdem man ihr den Gips abgenommen hat und sie endlich wieder normale Schuhe anziehen konnte, hat sie sich pflichtbewusst auf den Weg zu Georg ins Heim gemacht. Sarema hat sie wieder mitgenommen, weil sie noch ein bisschen wacklig auf den Beinen war und nichts tragen konnte und dem Georg doch immer ein Stück Kuchen mitbringt. Der war ganz vergnügt gewesen, hat so wie immer vor sich hingelallt, mit seinem schiefen Mund gelacht und Sarema angestrahlt. Sarema hat ihm das Gesicht gewaschen, nachdem er den Kuchen aufgemümmelt hat, und ihm gesagt, dass der kleine Georg seine Augen und seinen Mund habe. Da hat er gekichert und Emma hat gesehen, dass er sich richtig freut. Dann hat er auf das Foto gezeigt und auf sich und gelacht. Und Emma war froh gewesen, als die Besuchszeit vorbei war und sie nach Hause gehen konnten.

Zwei Tage später hat man sie aus dem Heim angerufen und ihr gesagt, Georg habe eine Lungenentzündung, man hätte ihn ins Spital bringen müssen. Und wieder zwei Tage später haben sie aus dem Spital angerufen und gesagt, dass er tot ist.

Emma weint ein bisschen. Sie hat ihm nie verziehen, und in den letzten Jahren hat sie sich mehr aus Rache um ihn gekümmert als aus Freundschaft. Aber jetzt ist sie schon traurig. Plötzlich fühlt sie sich ziemlich leer und allein und auch ein klein wenig schuldig, weil sie ihn nicht sehr oft besucht hat und gar nicht mehr bei ihm im Spital war, bevor er gestorben ist. Aber sie hatte ja immer noch Schmerzen im Bein und das Spital war weit weg und sie war beschäftigt und überhaupt.

Natürlich organisiert der Hansi das Begräbnis, er verständigt sogar die Herausforderung und erzählt Emma dann, dass die ein paar Tränen zerquetscht und versprochen hat, zum Begräbnis zu kommen. Das hat Emma gerade noch gefehlt, dass am Ende zwei Witwen am Grab stehen. Aber der Hansi hat gesagt, dass man die Herausforderung nicht ausschließen kann, schließlich war sie ja einige Jahre mit dem Papa verheiratet.

Jetzt ist der Georg also weg – und mit ihm ein Stück von ihrem Leben. So schlecht war es ja nicht mit ihm. Damals im Stadionbad haben sie es sogar ziemlich lustig gehabt. Und später, als sie dann »miteinander gegangen« sind, war sie ziemlich stolz auf ihren feschen Badewaschel. Und er war eigentlich immer ganz lieb zu ihr, und als sie mit dem Hansi schwanger war, hat er sich gefreut und gleich die Spielzeugeisenbahn gekauft, die jetzt immer noch in einer Schachtel oben im Kasten liegt. Die wird der Hansi ja jetzt wieder aufstellen, wenn der kleine Türke ein bisserl größer ist. Und zur Geburt vom Hansi hat er ihr den Goldring mit dem kleinen Diamantsplitter geschenkt, den sie immer noch trägt. Erst wie er Opa geworden ist und das mit den Herausforderungen begonnen hat, war er nicht mehr er selbst. Wann hat er eigentlich aufgehört, lieb zu ihr zu sein? Nie wirklich, er hat nur nicht mehr mit ihr geredet und kaum noch was mit ihr gemeinsam gemacht. Irgendwann hat er auch aufgehört, am Samstag mit ihr einkaufen zu gehen. Plötzlich hat er gesagt, er muss arbeiten, oder er muss dringend ins Fitness-Studio gehen, der Arzt hat ihm das verschrieben. Na ja – gelogen hat er halt, dass sich die Balken gebogen haben, der Kerl. Und jetzt hat er sich davongemacht und sie noch einmal im Stich gelassen, so wie damals, als er ihr die Mitzi gebracht hat und dann weggegangen ist und die Junge geheiratet hat. Der Kerl, der.

Begräbnis

Der Mann von Frau Emma ist gestorben.

Der arme Mann, denkt Sarema. Ganz alleine in diesem schrecklichen Heim, in diesem schrecklichen Zimmer. Keiner war bei ihm.

Und Frau Emma ist traurig.

Das tut ihr leid, auch wenn sie nicht versteht, wie das eigentlich war mit dem Mann. Warum war der nicht bei Frau Emma zu Hause, sondern in diesem Heim? Wäre Magomed krank geworden, sie hätte ihn nicht aus dem Haus gegeben. Sie wäre froh gewesen, wenn sie ihn hätte pflegen können. Aber Magomed ist ja auch alleine gestorben, irgendwo im Wald, nachdem er auf die Mine gestiegen ist. Und sie war allein mit den beiden Buben und das namenlose Mädchen war noch in ihrem Bauch. Wie gerne wäre sie bei ihm gewesen, hätte seine Hand gehalten und ihm Mut gemacht. Und jetzt ist sie wieder alleine und keiner ist da, der ihr helfen kann.

Frau Emma macht sich viele Gedanken um das Begräbnis. Sie will nicht, dass die andere Frau auch kommt. Das kann Sarema verstehen. Wenn Magomed eine zweite Frau genommen hätte, hätte sie der die Augen ausgekratzt. Aber zum Glück hat Magomed nie daran gedacht, noch eine Frau zu nehmen, sie war ihm genug, hat er immer gesagt, und Sarema war stolz darauf, dass ihr Mann sich nicht nach anderen umgeschaut hat. Also versteht sie, dass Frau Emma die andere Frau nicht beim Begräbnis des Herrn Georg haben will. Aber schließlich ist die andere ja doch auch seine Frau gewesen, also hat sie ja auch das Recht, dabei zu sein, wenn er begraben wird. Auch wenn Frau Emma offenbar seine wichtigste Frau war.

Frau Emma tut ihr leid, aber ganz verstehen kann sie sie nicht. Zum Beispiel verbringt sie einen ganzen Tag damit, alle schwarzen Kleidungsstücke in ihrem Kasten durchzusehen. Und dann sagt sie zu Sarema, dass sie sich für das Begräbnis ein schwarzes Kleid kaufen müsse, weil sie nichts habe, was dafür passend sei. So zumindest hat Schamil es Sarema übersetzt, und die wundert sich, weil sie doch gesehen hat, wie viele schwarze Röcke und Pullover Frau Emma im Schrank hat.

Verstehen kann sie auch nicht, wieso es so lange dauert, bevor der Herr Georg begraben wird. Zwei ganze Wochen. Frau Emma schreibt mit der Hand viele Karten mit schwarzem Rand, schiebt sie in Kuverts mit schwarzem Rand, klebt Briefmarken drauf und schickt Sarema damit auf die Post. Dann kommt der Herr Hans zu Besuch und redet lange mit Frau Emma über Musik und darüber, wohin man nach der Beerdigung essen gehen soll, und Sarema denkt, dass einiges in Tschetschenien doch einfacher ist als in diesem reichen Österreich. Wer kann sich in ihrer Heimat schon den Luxus leisten, über Begräbnismusik oder Leichenschmaus nachzudenken? Und wer würde zwei Wochen warten, bis er einen lieben Toten beerdigt? Allerhöchstens drei Tage, dann muss ein Mensch unter der Erde sein – so hat sie es gelernt, so war es bei ihren Großeltern und bei allen Lieben, die sie verloren hat im Lauf ihres Lebens. So viele. So viele Tote auf ihren Schultern. Die sie mitträgt, die ihr so sehr fehlen, die sie keinen Augenblick vergisst, die sie so alleine gelassen haben.

Und so viele Tote, die sie nicht begraben konnte. Magomed zuallererst. Sie weiß nicht, wo man ihn vergraben hat, nachdem er auf die Mine getreten war. Damals lebte sie im Keller mit Malika und Aslan, mit Ramsan und Schamil und wusste von einem Tag zum nächsten nicht, wie sie alle satt kriegen sollte. Von Magomeds Tod hat sie erst viel später erfahren. Und wenn die Buben nach ihm fragten, hat sie ihnen gesagt, dass er in den Bergen sei und bald kommen würde. Und dann, als das namenlose Mädchen geboren und gestorben war, fragten sie immer seltener nach Magomed.

Ramsan, ihren Ältesten, hat sie im Dorf ihrer Schwester begraben. Die Großeltern sind auch dort begraben. Die Einzigen, die in der Heimat richtige Gräber hatten – der Vater hatte sie aus Kasachstan zurückgebracht. Aus der Verbannung hatte er sie nach Hause geholt, um sie in heimatlicher Erde zu begraben. Und Ramsan lag jetzt in ihrer Nähe – aber sie ist weit weg, seine Mutter, die sein Grab hätte besuchen können. Sie hat ihn unter einen Stein gelegt, damit er im Tod wenigstens sicher wäre – und war weggegangen. So weit weg, wie sie es nie für möglich gehalten hatte. Und doch war er immer bei ihr und Schamil. Er und Magomed und all die anderen. Und manchmal schien es ihr, als könnte sie die vielen Toten nicht mehr tragen auf ihren Schultern, als drückten sie sie zu Boden und nähmen ihr die Luft zum Atmen.

Aber daran will und darf sie nicht denken, denn da ist Schamil und für ihn muss sie stark sein, bis er groß genug ist, um für sie stark zu sein. Sie wird ihm eine gute, kluge, fleißige Frau suchen. Und dann wird sie zu ihren Toten gehen, wenn Schamil sein Leben zu leben beginnt.

Wenn sie sie nur nicht zurückschicken. Wenn sie ihr nur erlauben, hier zu bleiben und Schamil hier groß werden zu lassen. Wenn sie es nur zulassen, dass Schamil etwas lernt und ein großer, kluger, freundlicher, anständiger Mensch wird. Wenn sie sie nur nicht wegschicken.

Zum Begräbnis putzt sich Frau Emma heraus und Sarema denkt, wie seltsam das doch ist – dass man sich schön macht, um einen Menschen in die Erde zu legen. Auf dem Friedhof sind viele Menschen. Eine jüngere Frau, die sich genauso herausgeputzt hat wie Frau Emma, steht in einer Gruppe von Menschen, die sich angeregt unterhalten. Frau Emma wird ein bisschen blass und zieht Sarema und Schamil weiter. Und dann ist da auch Herr Hans, und Sarema sieht, dass er wirklich traurig ist und glaubt sogar eine Träne blitzen zu sehen.

Nachdem Herr Georg ins Grab gelegt worden ist, fangen die Menschen rundherum ziemlich laut zu reden an, und Sarema hört einige auch lachen. Und dann wird gegessen, direkt neben dem Friedhof in einem Gasthaus, und Sarema isst nichts, weil es zu viel Schweinefleisch gibt und sie nicht essen kann, wenn all die Toten um sie herum sind.

Am nächsten Tag erzählt Frau Emma lachend, dass die andere Frau sich geärgert hat, weil beim Essen niemand mit ihr geredet hat, und dass ihr schon recht geschieht, denn schließlich hat sie eine Familie zerstört. Aber Sarema kann das nicht so gut verstehen, denn Frau Emma und Herr Hans und auch Frau Emine sehen nicht so aus, als habe irgendjemand ihr Leben besonders zerstört.

Sie denkt an ihre Freundin Sainap, deren Mann nach drei Jahren – als Sainap mit dem zweiten Kind schwanger war – eine zweite Frau mit nach Hause gebracht und Sainap gezwungen hat, für die zweite Frau auch noch mit zu sorgen. Viele solche Geschichten kennt sie aus Tschetschenien, wo die Männer behaupten, der Islam erlaube den Männern eben mehrere Frauen, und wo selbst die älteren Frauen Verständnis haben und sagen, dass so viele gestorben seien während der Deportation unter Stalin und in den beiden blutigen Kriegen, dass es nur gut sei, wenn ein Mann mehrere Frauen und so viele Kinder wie möglich habe.

Aber hier in diesem Land lassen die Frauen nicht zu, dass ein Mann eine zweite Frau ins Haus bringt. Im Gegenteil. Das hat sie begriffen, als sie Frau Emma von der zweiten Frau reden gehört hat. Vieles kann sie hier nicht verstehen, aber eines weiß sie ganz sicher: Hier könnte es ihr gelingen, Schamil eine Zukunft zu sichern. Und weil sie das weiß, wird sie kämpfen um diese Zukunft.

Obwohl sie oft verzweifelt. Gewiss, sie hat Frau Emma, sie kann bei ihr sein und viele im Heim beneiden sie darum, dass sie etwas zu tun hat, eine Aufgabe, auch wenn es keine richtige Arbeit ist. Aber sie trifft Menschen, die in diesem Land aufgewachsen sind, die dieses Land verstehen und hier leben – und die nicht den ganzen Tag von Krieg und Tod und Elend sprechen. Eigentlich hat sie großes Glück, dass sie Frau Emma gefunden hat, denkt Sarema.

Gestern sind Achmed und Rita und die Kinder abgeholt worden. Sie hat sie gesehen, als sie Schamil zur Schule begleiten wollte. Die beiden großen Buben waren ganz blass, die zwei Mädchen hatten rotgeweinte Augen, nur das Baby schlief. Achmed und Rita haben ihr zugenickt, als sie in den Bus gestiegen sind, und Sarema hat die Todesangst in ihren Augen gesehen. Dass man sie zurückschicke, hat Rita ihr noch zugeflüstert, dann fuhr der Bus los. Und Sarema zog Schamil weiter, der voller Angst dem Bus nachsah.

Was soll sie nur tun, wenn man sie zurückschickt? Im Heim sagen sie, dass jeder, der zurückkommt, sofort von den Sicherheitskräften verhört wird. Was soll sie sagen? Was kann sie sagen? Die Toten aufzählen? Nein, sie kann nicht zurück. Aber sie haben ihr hier nicht geglaubt, als sie von Lisa erzählte und von Magomed, als sie ihnen beschrieb, wie man ihren Nachbarn Beslan aus dem Haus gezerrt und weggeschleppt hat, und dass

Beslan später als Krüppel zurückgekommen war. Und dass sie ihre Schwester nicht finden konnte, weil niemand etwas von ihr wissen wollte. Nein, sie haben ihr nicht geglaubt. Und seither hat niemand mehr mit ihr gesprochen. Vielleicht ist das ja auch ein gutes Zeichen? Je länger sie nicht mit ihr sprechen, umso besser findet Schamil sich zurecht hier, wo ihr immer noch alles fremd ist. Wenn Schamil so gut lernt und alles versteht, dann können sie ihn doch nicht mehr zurückschicken?

Ein paar Tage später erzählt man sich im Heim, was mit Achmed und Rita geschehen ist. Sie seien mit den Kindern und zehn anderen Tschetschenen in ein Flugzeug nach Moskau gesetzt worden. In Moskau sei Achmed von Männern in Zivil mitgenommen worden und man wisse seither nicht, wo er sei und was mit ihm geschehen ist. Die großen Söhne seien untergetaucht, Rita sei mit den drei Kleinen zuerst stundenlang von der Polizei verhört worden und habe dann bei Verwandten in Grosny Unterschlupf gefunden, habe aber kein Geld und keine Papiere und sei völlig verzweifelt.

Sarema schläft nicht in dieser Nacht. Die Einzigen, die noch da wären, sind Eva und Basil – und ob die sie aufnehmen würden, falls man sie und Schamil zurückschickt, ist fraglich. Eigentlich müssten sie, weil es sonst eine Schande wäre, aber Sarema weiß nur zu gut, was für ein Leben sie dann erwartete – und wieder hört sie die Stimme. In den vergangenen Monaten war es ihr gelungen, sie aus ihrem Kopf zu verbannen. Die Stimme, die ihr droht. Aber in dieser Nacht ist sie wieder da, laut und deutlich, und Sarema denkt, dass sie ihm nicht entkommen kann, wenn man sie zurückschickt. Hier ist sie sicher, denkt sie.

In dieser Nacht denkt Sarema an Rita und die drei Kleinen, sie denkt an Achmed und die großen Söhne und sie weint ein bisschen um sie. Ganz leise, damit Schamil sie nicht hört. Sie wird ihm nichts erzählen und ihn nicht ängstigen, sie wird kämpfen für ihn und sich. Sie weiß nur nicht wie …

Sommer

Emma langweilt sich. Und der Sommer kommt erst. Heuer wird es für sie überhaupt unerträglich. Weil sie immer noch nicht richtig gehen kann, wird sie dieses Mal auf die zwei Wochen in Reichenau verzichten müssen, wo sie immer mit ihren Freundinnen hinfährt und ins Theater geht und Spaziergänge macht und alles vergisst, was sie das ganze Jahr lang geärgert hat. Seit Georg seine Herausforderung geheiratet hat, ist sie jedes Jahr nach Reichenau gefahren. Zuerst haben die Irene und die Gusti sie aus Mitleid mitgenommen, sie haben das Hotel gebucht und die Theaterkarten genommen, und sie musste sich nur noch in den Zug setzen. Später hat sie dann alles selbst für sich organisiert, ist aber immer mit der Irene und der Gusti gefahren. Das war fein, weil sie mit den beiden nicht allzu viel zu reden hat, was beim Spazierengehen ja ohnehin nicht nötig ist, und trotzdem nicht allein war. Alleine ins Theater gehen, das würde ihr nämlich nie einfallen. Das wäre ihr peinlich.

Und jetzt kann sie wegen des blöden Beins nicht fahren. Und wird alleine in Wien sitzen, während die Gusti und die Irene es sich in Reichenau ohne sie gut gehen lassen. Und der Hansi? Der wird auch kaum da sein. Emine ist mit dem kleinen Georg Tarik schon in die Türkei geflogen. Für drei Monate, damit die Familie ihn kennenlernt, hat sie gesagt, wie sie sich verabschieden gekommen ist. Drei Monate. Die denkt wirklich nur an sich. Danach wird der Zwerg sie überhaupt nicht mehr kennen, wo sie ihn eh so wenig zu sehen kriegt, höchstens ein Mal in der Woche.

Der Hansi hat ihr bei der gleichen Gelegenheit eröffnet, dass er seine Ferien auch in der Türkei verbringt und die Luzie, die auf Besuch kommt, auch. Also wirklich. Da lebt das Mädel eh schon in Turin, und wenn sie dann nach Wien kommt, nimmt der Hansi sie gleich mit in die Türkei. Und wo bleibt sie, Emma? Allein in Wien. Die Luzie komme sie auf jeden Fall besuchen, bevor sie in die Türkei fahren, beruhigt sie der Hansi, aber das heitert sie nicht wirklich auf. Sonst war die Luzie immer ein paar Wochen da und ist alle paar Tage zu ihrer Oma essen gekommen. Und jetzt?

Ein Besuch und dann weg in die Türkei. Also wirklich. Und sie wird ganz allein sein, denkt sie. Und da fällt ihr ein, dass Schamil ja auch Sommerferien haben wird, und sie fühlt sich gleich viel weniger allein. Schamil und Sarema werden ja wohl kaum wegfahren, sie könnte mit Schamil nach Schönbrunn in den Tiergarten gehen und in den Prater und wenn's schön ist, vielleicht sogar ins Stadionbad. Ja, das macht sie. Der Gips ist ja schon weg. Dass ihr das Bein noch immer wehtut, ist nicht so schlimm. Sie muss ja nicht so viel herumgehen, in Schönbrunn oder im Prater. Ja, das wird sie machen, und der Hansi und die Luzie sollen sehen, was sie davon haben, wenn sie sie einfach allein lassen und lieber bei der türkischen Verwandtschaft Urlaub machen.

Sarema ist heute besonders blass. Die geht ja auch nie an die frische Luft. Vielleicht nimmt sie sie auch mit nach Schönbrunn und in den Prater – im Sommer, also in ein paar Wochen, wenn ihr das Bein weniger wehtut und es nicht mehr so viel regnet. Solange das Wetter so scheußlich ist, braucht sie eh nicht hinausgehen.

Seit Georg tot ist, hat sie gar keine Verpflichtungen mehr. Im Grunde hat sie das doch mitgenommen. Nicht, weil sie ihm jetzt im Nachhinein verziehen hätte. Sie wird ihm nie verzeihen, was er ihr angetan hat. Aber in den letzten Jahren, als er schon im Heim war, hatte sie sich eine Routine zurechtgelegt. Einmal in der Woche hat sie den Georg besucht und sich danach immer sehr gut gefühlt, großzügig und edel. Schließlich hat er sie verlassen und nicht sie ihn – und sie hat sich trotzdem um ihn gekümmert, als er in Not war. Sie ist eben wirklich kein schlechter Mensch, auch wenn der Hansi und die Luzie gelacht haben, als sie ihnen erzählt hat, dass Schamil sie einen guten Menschen genannt hat.

Natürlich war's für den Georg eine Erlösung. Die letzten Jahre waren für ihn kein richtiges Leben mehr, ans Bett oder an den Rollstuhl gefesselt, ohne richtig reden zu können. Und immer angewiesen auf fremde Leute. Sie jedenfalls muss sich jetzt was anderes finden, sonst wird ihr die Woche zu lang und eintönig.

Und überhaupt. Bisher hat sie immer noch so etwas wie einen Ehemann gehabt, wenn auch einen geschiedenen. Aber jetzt ist sie – was eigentlich? Ist sie jetzt Witwe, obwohl sie geschieden war? Eigentlich schon, denn die Herausforderung hat sich ja woanders getröstet. Also natürlich ist sie die Witwe. Und darf auch ein bisschen trauern. Weil er ihr wirklich abgeht, der alte Georg, der im Heim, der immer gestrahlt hat, wenn sie ihn besucht hat. Das wird ihr fehlen, dass einer sich auf sie freut. Na ja, der Hansi kommt sie regelmäßig besuchen, seit sie den Unfall gehabt hat. Aber der steht jetzt ganz schön unter dem Pantoffel von der Emine. Aber der war immer so ein Pantoffelheld. Er hat allen seinen Frauen alles durchgehen lassen. Die Luise hat bestimmt, wo man Urlaub macht, die Gisela, was er isst, und die Emine … die wollte nicht heiraten. Emma findet das immer noch unglaublich. Der arme Hansi hat extra aufs Standesamt mitgehen müssen und bestätigen, dass er der Vater vom kleinen Georg Tarik ist, damit er auch in seiner Geburtsurkunde stehen kann. Emma hat sich ganz schön aufgeregt, als der Hansi ihr das erzählt hat, aber der hat wieder einmal nur gelacht und gesagt, dass er die Emine auf jeden Fall begleitet hätte und dass ihm das nichts ausgemacht hat.

Also ein Held war der Hansi noch nie. Immer hat er sich um alle Schwierigkeiten herumzudrücken versucht. Dass er sein Studium abgeschlossen hat, hat er auch nur ihr zu verdanken. Fast eingesperrt hat sie ihn zu Hause, damit er seine Prüfungen macht. Ein paar Mal wollte er aufgeben, aber da hat er nicht mit ihr gerechnet gehabt. Sie hat ihm ordentlich die Meinung gesagt und ihm klargemacht, dass sie und der Papa – der damals noch keine Herausforderung hatte – sich krankarbeiten, nur damit er studieren kann. Das hat gewirkt.

In ihrer Vorstellung hätte er dann mindestens Chirurg und Klinikvorstand werden müssen, aber dazu war ihr Hansi leider immer zu faul. Zwar sitzt er jetzt jeden Tag nur in einem Kammerl und sticht irgendwelche Leute in den Arm, aber wenigstens verdient er nicht schlecht – und ihre Freundinnen wissen, dass sie einen Herrn Doktor zum Sohn hat. Das ist doch was. Morgen wird sie den Schamil fragen, was er einmal werden will.

Hat die Sarema eigentlich irgendwas gelernt? Gesagt hat sie nie was. Komisch. Dort, wo sie her ist, hat man die Frauen ja immer eingesperrt, nicht wahr? Sie glaubt nicht, dass die dort Frauen studieren lassen. Sicher war die Sarema Bäuerin oder Hausfrau oder beides. Putzen kann sie ja wirklich – noch nie war's bei Emma so sauber wie jetzt, auch wenn sie ihr immer sagen muss, welche Fetzen und welchen Besen und welches Gerät sie verwenden soll. Kennt die Arme halt nicht, einen richtigen Staubsauger. Muss wirklich schrecklich sein dort in Tschetschenien. Viel redet die Sarema nicht darüber. Nur, dass es dort hohe Berge gibt, hat sie gesagt, und da hat Emma gelacht und gesagt, dann müsste es ihr doch in Österreich gut gefallen, weil es hier auch hohe Berge gibt.

Aber die Sarema, die ist schon komisch, die hat gar nicht gelacht, sondern ganz ernst genickt und gesagt, dass das gut ist. Also Humor hat die keinen, aber sie kann ja auch immer noch nicht ordentlich deutsch, obwohl Emma sich ziemlich anstrengt, um ihr was beizubringen. Schamil, der redet schon wie ein richtiger Wiener. Manchmal muss sie ihm sogar den einen oder anderen Dialektausdruck austreiben, den er aus der Schule mit nach Hause bringt. Der Bub ist wirklich gescheit. Von wem er das hat? Über den Vater will die Sarema auch nie reden, vielleicht ist der auch weggegangen, so wie der Georg damals wegen der Herausforderung. Wahrscheinlich war der auch sehr gescheit und es war ihm fad mit der Sarema. Die lacht ja nie und redet kaum was und hat immer so einen verkniffenen Mund. Na ja, die Arme. Verlassen und ohne Familie in einem Land, wo sie die Sprache nicht versteht – da kann man schon missmutig werden.

Denkt Emma in einem ziemlich ungewöhnlichen Anfall von Mitgefühl – den sie ganz schnell wieder beiseitelegt, als Sarema vom Einkaufen kommt und wieder einmal die falsche Milch und das falsche Joghurt mitgebracht hat, obwohl Emma ihr schon so oft erklärt hat, was sie kaufen soll. Also, dass die sich das nicht merken kann … Ist eben nicht besonders intelligent, das Mädel …

Als Hansi sich mit Luzie verabschieden kommt, sagt Emma, dass es ihr gar nichts ausmache, wenn sie jetzt alle wegfahren und sie in Wien allein lassen. Sie werde sich einen schönen Sommer machen und mit Schamil ins Bad und in den Prater und nach Schönbrunn und in den Wienerwald fahren und es überhaupt wunderbar haben.

Luzie schaut sie von der Seite an und dann umarmt sie sie ganz fest und sagt, die Oma soll nicht beleidigt sein, sie werde ja dann – nach der Türkei – noch zwei Wochen in Wien sein und da werde sie sie jeden Tag besuchen kommen – großes Ehrenwort. Emma ärgert sich, weil Luzie gesagt hat, dass sie beleidigt ist, und sie findet, dass sie gar nicht beleidigt geklungen hat.

»Wenn du meinst …«, sagt sie spitz und fragt den Hansi dann, ob sie mit dem Schamil ins Stadionbad oder lieber doch ins Gänsehäufel gehen soll. Der Hansi zuckt die Schultern, sagt dann aber, dass im Gänsehäufel mehr Platz ist und vielleicht weniger komische Leute herumrennen. Na gut, wird sie dem Schamil halt das Gänsehäufel zeigen – und der Sarema auch. Eine Badehose für den Schamil findet sie sicher in Hansis Zimmer, und Sarema kann ja einen ihrer alten Badeanzüge haben.

Eine Woche später ist Zeugnisverteilung und Schamil kommt mit stolzgeschwellter Brust nach Hause und zeigt Emma seine Noten: lauter Einser und Zweier. Emma ist sehr stolz und sagt, dass er das gut gemacht hat und sie ihm ja auch viel geholfen hat und dass sein Papa sicher auch sehr stolz auf ihn wäre. Schamil antwortet nicht und geht ganz leise zu Sarema in die Küche. Und dann hört Emma, wie Sarema schnell und leise auf ihn einredet, doch von Schamil hört sie gar nichts.

Hat sie was Falsches gesagt? Wieso denn? Keiner erklärt ihr was, woher soll sie wissen, dass der Bub so leicht beleidigt ist? Also ein bisserl eine dickere Haut sollte sich der schon zulegen, sonst wird das nix mit Studium und so. Sarema hat gesagt, er soll Arzt werden, oder Jurist, oder Ingenieur. Na ja, vielleicht wär's besser, der Bub tät eine Lehre machen. Tischler oder so. Da wär er bald selbstständig und könnt die Sarema unterstützen. Wenn die zwei aufgehört haben, in der Küche miteinander zu flüstern, wird sie mit ihnen darüber reden. Oder doch lieber erst nach den Ferien? Immerhin hat Schamil ja noch ein paar

Jahre Pflichtschule vor sich, also eilt das nicht. Ja, sie wird bis nach den Ferien warten.

»Morgen gehen wir baden«, verkündet Emma am nächsten Tag, als sie alle drei ziemlich verschwitzt beim Mittagessen sitzen. Wieder einmal ist der Sommer von einem Tag zum nächsten gekommen. Emma ist trotz ihres schmerzenden Beins und trotz der Hitze voller Tatendrang. Sie kramt in ihrem Kasten, bis sie den schwarzen Badeanzug findet, den sie schon Jahre nicht mehr getragen hat, und in Hansis Schrank findet sie eine Badehose von ihm, die auch gut ihre zwanzig Jahre auf dem Buckel hat und dem Schamil sicher zu groß ist. Aber sie wird einfach ein Band einziehen, dann kann er die Schwimmshorts oben so zusammenziehen, wie er sie braucht.

Sarema schaut den Badeanzug an, schaut Emma an, schaut wieder den Badeanzug an und sagt dann, dass sie so etwas nicht anziehen kann.

»Und wie willst dann schwimmen?«, fragt Emma gereizt. Sie könne nicht schwimmen, sagt Sarema, und sie könne sich nicht nackt unter Menschen zeigen. Und dann dreht sie sich um und verschwindet in der Küche.

Sie hat Dschochar von Weitem gesehen und war froh, dass er sie nicht bemerkt hat. Sie war auf dem Markt, um für Frau Emma einzukaufen. Frau Emma will immer, dass sie mit der Straßenbahn zum Markt fährt und dort das Obst und Gemüse einkauft. Billiger sei es, sagt Frau Emma, und bessere Qualität. Dabei kostet die Straßenbahn ja auch Geld, deshalb geht sie meistens zu Fuß. Dann schimpft Frau Emma, weil sie so lange braucht, aber das macht ihr nichts aus. Auch das Zufußgehen macht ihr nichts aus, das ist sie gewohnt.

Sarema findet den Markt ziemlich teuer – aber sie kommt gerne hierher, auch wenn er ganz anders ist als der Markt in Grosny. Dort gab es eine Mauer rundherum und Gassen und richtige Häuschen. Auf dem Markt hier sieht alles aus, als würde es jeden Abend zusammengelegt und weggetragen. Und es gibt so viel Obst und Gemüse, das sie gar nicht kennt. Die Verkäufer sind zwar frech und reden sie komisch an, was sie nicht mag, aber andererseits sind hier so viele Menschen unterwegs, die auch aus Grosny sein könnten, dass Sarema sich ein kleines bisschen weniger einsam fühlt.

Jetzt geht Dschochar dort drüben auf die andere Straßenseite und bleibt bei einem Gemüsestand stehen. Dschochar war ein Freund ihres ältesten Bruders, der auch einmal versucht hatte, sie mit ihm zu verheiraten, aber Sarema hatte sich geweigert, weil es hieß, Dschochar habe schon eine Frau, trinke viel und schlage diese Frau fast jeden Tag. Sarema hatte ihrem Bruder erklärt, dass sie gar nicht daran denke, Dschochars Zweitfrau zu werden, dann hatte es einen heftigen Streit gegeben. Danach war Dschochar nie wieder zu ihnen nach Hause gekommen und Sarema hatte sich lange Zeit nicht alleine auf die Straße getraut, aus Angst, Dschochar könnte sie einfach entführen.

Und jetzt steht er dort drüben nur ein paar Meter von ihr entfernt, mitten in Wien.

Dschochar ist ja nicht der Einzige aus der Heimat, den sie zufällig getroffen hat. Immer wieder begegnet sie Leuten aus ihrem Stadtteil, manchmal sogar aus ihrer Gasse. Manchmal redet man auch. Aber jeder trägt etwas mit sich herum, was er nicht erzählen kann. Meistens wird nur über das Leben hier in Österreich geredet, vor allem darüber, ob einem der Flüchtlingsstatus zugesprochen wurde – ob man »positiv« ist – oder ob man noch wartet. Die, die so wie Sarema erst nach 2004 gekommen sind, warten zumeist noch. Die, die früher gekommen sind, manche sogar im ersten Krieg 1994, sind die Alteingesessenen und fühlen sich ganz sicher. Und das lassen sie die anderen auch spüren. Deshalb vermeidet es Sarema, Leute aus der Heimat zu treffen.

Auch im Heim wird viel geredet. Dass man nicht wissen könne, wer aus welchem Grund hier sei. Dass unter den Leuten von zu Hause auch solche seien, die dem schrecklichen Präsidenten ergeben sind und nur so tun, als hätten sie Tschetschenien verlassen müssen. Dass diese Leute auf der Suche nach solchen seien, mit denen der schreckliche Präsident noch offene Rechnungen hat.

Sarema hat die Geschichte von jenem jungen Mann gehört, der am helllichten Tag hier in Wien auf der Straße erschossen wurde. Im Heim sagen sie, er habe zuerst für den schrecklichen Präsidenten gearbeitet und sich dann mit ihm zerstritten. Deshalb habe ihm der Präsident seine Leute bis hierher nachgeschickt und ihn umbringen lassen.

Sarema glaubt, was die Leute im Heim erzählen, und denkt an den Mann in dem Zimmer am Ende des Korridors. Sie hofft, dass er nicht genug Macht hat, um Mörder auszuschicken. Zumal sie ja nichts gesagt hat. Niemandem hat sie erzählt, was damals geschehen ist. Die Tante hat es erraten, aber die hat ihr geschworen, es niemals jemandem zu sagen. Man wird ihr und Schamil also keinen Mörder auf den Hals schicken. Aber man kann trotzdem nie wissen, wer vor einem steht und mit welchem Auftrag er hier ist.

Sie traut Dschochar nicht. Vielleicht ist er auch einer der Agenten des schrecklichen Präsidenten, die hier sind, um die anderen Flüchtlinge auszuspionieren? Sie hat Dschochar immer für einen schlechten Menschen gehalten. Und wenn er hier ist, um sie und Schamil zu suchen?

Sarema versteckt sich hinter dem nächsten Marktstand, an dem billige Kittelschürzen verkauft werden, und lugt zwischen den geblümten Kleidungsstücken zu Dschochar hinüber. Der kauft Äpfel und Orangen. Er ist gut angezogen und sieht satt und gesund aus. Nicht wie einer, der um sein Leben laufen musste, denkt Sarema und erinnert sich an die abgemagerten, ausgezehrten Nachbarn, die die Männer des Präsidenten mitgenommen hatten und erst wieder laufen ließen, nachdem sie ihnen fast das Leben aus dem Leib geprügelt hatten.

Dschochar sieht nicht aus, als sei er diesen Leuten in die Hände gefallen. Jedenfalls will sie ihm nicht begegnen. Und so wartet sie, halb versteckt zwischen den Kittelschürzen, bis sie sieht, dass er seinen Einkauf beendet hat und weitergeht.

Später im Heim fragt sie Saira, eine entfernte Cousine ihres angeheirateten Onkels, ob sie Dschochar kenne. Ja, den kenne sie, von dem solle man sich fernhalten, man sagt, der sei zwielichtig und fahre auch auffallend viel hin und her zwischen Österreich und Tschetschenien, meint Saira.

Auf Saira kann man sich in solchen Dingen verlassen, denkt Sarema. Obwohl man auch bei ihr nie wissen kann, nach allem, was sie durchgemacht hat.

Erst wurde ihr ältester Sohn vor ihren Augen erschossen, dann haben sie ihr Haus niedergebrannt. Der Mann ist im zweiten Krieg umgekommen, er war wohl bei den Kämpfern in den Bergen und ist nicht wieder zurückgekommen. Und dann ist beim Fußmarsch über die Grenze nach Österreich noch ein Baby erfroren – das dritte Kind ihrer jüngsten Tochter.

Natürlich hat Sarema das nicht von Saira erfahren – die redet nicht darüber, so wie Sarema über vieles nicht redet, vor allem nicht über das, das so wehtut. Aber die Sache hat sich herumgesprochen – Sairas Tochter musste, als sie endlich hier waren, ins Spital und ist immer noch dort. In der Psychiatrie – aber auch darüber redet natürlich niemand, weil das eine Schande ist, die man der Familie ersparen will nach allem, was sie durchgemacht haben. Im Heim lebt Saira mit den zwei kleinen Kindern ihrer jüngsten Tochter, deren Mann verschollen ist. Ihre zwei Söhne haben sich nach Frankreich durchgeschlagen, weil sie dort Bekannte aus Grosny hatten. Aber Saira hat keine Nachricht von ihnen.

Manchmal denkt Sarema, wie angenehm es doch wäre, so wie Sairas Tochter einfach den Verstand zu verlieren und für nichts mehr verantwortlich zu sein. Endlich Ruhe, denkt Sarema immer wieder und ruft sich dann selbst zur Ordnung. Was ihr zustößt, ist nicht mehr wichtig, nur Schamil muss leben und lernen und groß werden und zufrieden sein.

Sie kann sich nicht mehr erinnern, was sie geträumt hat, als sie so alt war wie Schamil. Sport mochte sie, damals in der sowjetischen Schule. Sie hat sogar eine Zeit lang Basketball gespielt, aber das hat die Mutter nur erlaubt, bis sie 15 war, dann hat sie es ihr verboten. Was wollte sie werden? Weiß sie das noch? Ja, schon damals wollte sie Lehrerin werden, am liebsten Sportlehrerin. Sie hat ja auch studiert. Natürlich nicht Sport, sondern Geografie und Russisch. Aber dann kamen die Kinder – und der Krieg. Ihre Träume hat sie längst begraben und vergessen. Wenn sie manchmal zuhört, wie Frau Emma Schamil bei den Aufgaben hilft, schämt sie sich, dass sie das nicht kann. Sie, die Lehrerin werden wollte, hat jetzt nicht einmal mehr Lust, etwas zu lesen. Damals, vor dem Krieg, der alles zerstört hat, der ihr Leben in Stücke gerissen und dann ausgespuckt hat, ist sie immer in die Bibliothek gegangen und hat sich Bücher ausgeborgt. Abenteuergeschichten hat sie verschlungen und natürlich auch Liebesromane, aber die hat sie nur heimlich gelesen, weil ihre Mutter es nie erlaubt hätte.

Bei Frau Emma gibt es auch Bücher. Die sind auf Deutsch, und das kann sie kaum lesen. Aber selbst wenn sie auf Russisch wären, würde sie sie nicht mehr lesen wollen. Weil sie ihr falsch vorkommen, verlogen, unnötig. Bücher können ihr nicht helfen. Vielleicht Schamil, ihr nicht …

Erlebnisse

Endlich ist der Sommer vorbei und der Hansi und die Luzie sind wieder da.

Ganz braungebrannt ist das Mädel, richtig geröstet schaut sie aus. Also gesund ist das sicher nicht, aber wenn sie was sagt, lacht ihre Enkelin sie aus. Hübsch ist sie ja, da kann man gar nichts sagen, aber ihre Röcke werden auch immer kürzer.

Und dann steht sie plötzlich mit dem Kinderwagen vor der Tür und sagt, sie sei jetzt die Babysitterin für den kleinen Georg, weil die Emine einen Auftrag hat. Emma ist ein bisschen beleidigt, weil keiner sie gefragt hat, ob sie vielleicht auf das Baby aufpassen würde, und kneift die Lippen zusammen. Aber Luzie sagt, sie habe das ohnehin nur übernommen, weil die Oma so gern auf das Zwetschkerl aufpasse und sie ihr dabei helfen kann und sie auf die Art ein bisserl Zeit zu dritt haben werden. Das wär doch so nett, weil sie ihren kleinen Bruder ohnehin nur selten sehe und bei ihr in Italien auch bald die Schule wieder anfange. Aber nach der Matura werde sie nach Wien kommen und hier studieren, sagt sie auch ganz stolz, und da freut sich Emma und vergisst, dass sie eigentlich beleidigt ist.

Der kleine Georg Tarik schaut auch aus wie ein Murl. Eine richtige Nussfarbe hat er im Gesicht, also die Emine lässt das Kind so lang in der Sonne, bis es ganz schwarz ist. Na ja, ist ja nicht ihr Baby. Hauptsache, die Kinder sind jetzt da. Sie wird der Luzie Marillenknödel machen – das muss sie gleich der Sarema sagen, die hat natürlich wieder keine Ahnung, was das ist, aber sie wird's ihr schon beibringen, dem Schamil wird das sicher auch schmecken. So lässt's sich schon leben, wenn die Enkel ohne die Eltern bei ihr sind, und die Sarema auch, sodass sie nicht putzen und einkaufen muss und sich nur ums Kochen kümmern kann.

Luzie schaut Schamil über die Schulter, zeigt auf etwas in seinem Heft, und dann lachen sie beide. Na, das ist eigentlich auch ganz nett, die Luzie kann dem Schamil helfen, und sie hutscht das Baby. Ja, das gefällt Emma.

Natürlich kommen Hansi und Emine dann die Kinder abholen, aber das findet Emma auch nicht so schlecht. Ihr Hansi schaut richtig erholt aus und ist fast so braun wie Luzie und das Baby, und Emine ist dünner als vor der Schwangerschaft und erzählt von ihrem neuen Auftrag. Und dann stürzen sich die beiden auf die übrig gebliebenen Marillenknödel – also auf die sechs, die sie der Luzie und dem Schamil entrissen und für ihren Hansi aufgehoben hat, aber der teilt sie natürlich brüderlich mit der Emine, die doch eh keine Ahnung hat, was wirklich gute Marillenknödel sind. Aber Emine leckt sich die Lippen und macht Komplimente. Ihr und der Sarema. Weil Emma in ihrer Blödheit gesagt hat, dass die Sarema ihr beim Kochen geholfen hat. Und jetzt applaudiert die Nicht-Schwiegertochter der Sarema.

Dabei hat sie am Vormittag ein wirklich unangenehmes Erlebnis mit der Sarema gehabt.

Weil die immer das billigste Obst vom Markt mitbringt und Emma doch anständige Marillenknödel machen wollte, ist sie – obwohl ihr Bein ihr immer noch wehtut – mit Sarema einkaufen gegangen. Natürlich sind sie mit der Straßenbahn gefahren. Bei der Hinfahrt war alles noch in Ordnung, die Straßenbahn war fast leer und sie haben sich bequem hingesetzt. Dann hat sie der Sarema gezeigt, wie man das richtige Obst aussucht, und sie haben sogar ein bisschen gelacht miteinander, weil der eine Obstverkäufer so getan hat, als ob er glaube, dass Sarema ihre Schwester sei.

Dann sind sie wieder zur Straßenbahn gegangen, Emma mit ihrer Handtasche, Sarema mit den zwei vollen Einkaufstaschen. Wenn sie schon einmal auf den Markt mitgeht, wollte sie gleich ein bisserl mehr einkaufen, hat sich Emma gedacht.

Die Straßenbahn war gesteckt voll. Für Emma ist ein junger Bub aufgestanden – sicher auch so ein Türke, aber immerhin gut erzogen. Sarema ist neben ihr stehen geblieben. Kurz vor der Haltestelle, bei der sie aussteigen mussten, hat Sarema plötzlich zu schreien begonnen und mit beiden Ellbogen einen dicken Mann mit rotem Gesicht weggestoßen, der hinter ihr gestanden ist. Dann sind die Türen aufgegangen und Sarema ist hinausgestürzt und der Dicke mit dem roten Gesicht hat hinter ihr her geschrien: »Tschuschenhur, deppate!«

Emma hat zuerst geglaubt, sie hat sich verhört. Dann hat sie die Sarema angeschaut, die ganz grün im Gesicht war und am ganzen Leib gezittert hat. Emma hat sie am Arm genommen, auf die Bank bei der Haltestelle gesetzt und ist zum Kiosk gegangen, um ihr eine Flasche Wasser zu kaufen. Dann hat sie sich neben Sarema gesetzt und gefragt, was denn passiert sei.

»Der Mann«, murmelt Sarema und ist immer noch ganz blass.

»Was hast du dem denn getan, dass der so ordinär geschimpft hat?«

Sarema schaut sie verständnislos an.

»Getan? Ich getan? Mann hat angegriffen mein …«, sagt Sarema und zeigt auf ihr Hinterteil.

So ein niederträchtiger Mistkerl, denkt Emma und schaut sich um. Die Straßenbahn ist weg, der Mann ist dringeblieben. Hat der doch tatsächlich ihre Sarema betatscht. So ein Schwein. Also heutzutage ist wirklich viel Gesindel unterwegs. Was das für ein Prolet war, hat man ja daran gemerkt, wie ordinär er hinter ihnen her geschimpft hat. Schrecklich, was einem so passiert, wenn man in der Stadt unterwegs ist. Na ja, zum Glück muss sie ja nicht so oft zum Markt fahren, aber die arme Sarema … Sie wird sie nicht mehr dorthin schicken, im Supermarkt, wo sie sich kennengelernt haben, gibt's auch halbwegs anständige Sachen.

Das war heute Vormittag, aber jetzt sitzt sie mit der ganzen Familie im Wohnzimmer, das Zwetschkerl – schrecklich, jetzt nennt sie den Georg Tarik auch schon so wie der Hansi und die Emine – kriecht vergnügt am Boden herum und zieht die Mitzi am Schwanz, die Luzie kichert mit dem Schamil und die Sarema hat sich auch wieder beruhigt. Mein Gott, empfindlich ist die aber schon. Natürlich ist das eine Sauerei, dass der Dicke sie angetatscht hat, aber sooo eine Sache muss man doch daraus auch nicht machen, oder? Wie heißt es immer – andere Länder, andere Sitten.

Sie wird die Geschichte jetzt nicht erzählen. Das würde nur allen die Stimmung verpatzen, wo sie gerade so nett beieinandersitzen. Das muss ja auch nicht sein. So was passiert halt, da muss man sich nix draus machen.

Später stillt Emine den Kleinen wieder mitten im Wohnzimmer. Und außerdem ist er doch eigentlich schon zu groß dafür. Also sie hat den Hansi nicht so lange gestillt – drei Monate, das ist genug, hat der Arzt damals gesagt. Und immerhin ist er ja auch groß und kräftig geworden mit dem Kinderbrei. Aber heutzutage ist ja alles anders.

Jedenfalls ist Emma an diesem Abend richtig zufrieden, und nachdem Hansi und Emine mit Georg Tarik und Luzie nach Hause und Sarema mit Schamil ins Flüchtlingsheim gegangen sind, holt sie das alte Fotoalbum hervor.

Und dann findet sie das Babyfoto vom Hansi, das sie gesucht hat. Und schaut es lange an und stellt fest, dass das Zwetschkerl, nein, der Georg Tarik, nein, Schorschi wird sie ihn ab jetzt nennen, also dass der Schorschi dem Hansi unglaublich ähnlich schaut, obwohl er viel dunklere Haare hat. Aber die Augen, der Mund, die Nase – ganz ihr Hansi.

Wohin

Sie hat ihn hinter sich keuchen gehört, dann hat sie bemerkt, wie er sich immer enger an sie gedrängt hat, und dann hat sie die Hand gespürt. Sie stand direkt am Ausgang, hatte keine Hand frei, um sich zu wehren, und konnte nicht ausweichen. Als sie die Hand gespürt hat, hat sie Panik bekommen und mit den Ellbogen zugestoßen. Was er ihr nachgeschrien hat, hat sie nicht gehört und hätte es wahrscheinlich auch nicht verstanden, aber in ihrem Kopf war in diesem Augenblick nur jene andere Stimme, die ihr und Schamil drohte und dabei genauso keuchte wie der Mann heute in der Straßenbahn.

Frau Emma war sehr nett, aber sie hat nicht verstanden, was passiert ist. Auch nicht, als Sarema es ihr erklärt hat. Frau Emma hat gesagt, dass der Mann natürlich böse war, aber Sarema solle sich nichts daraus machen und eigentlich sei das ja fast ein Kompliment, wenn einer einem auf den Popo greife, das hieße doch nur, dass man ihm gefalle, ihr, Emma, sei das in ihrer Jugend auch passiert.

Sarema hat nicht richtig zugehört. Plötzlich hat sie nicht mehr gewusst, wo sie ist – und vor allem, was sie tun soll. Auf einmal wollte sie nur weg von hier, zurück, dorthin, wo sie alle kennt und wo das Leben anders ist. Aber die, die sie geliebt hat, deretwegen sie zurückgehen will, die sind ja nicht mehr da. Und dann denkt sie an das, was Heda ihr vor ein paar Tagen erzählt hat.

Heda ist die Schwägerin eines entfernten Cousins aus der Familie ihrer Mutter. Heda hat in Samaschki gelebt, bevor das schreckliche Töten begann, und lebt schon lange in Österreich, was Sarema aber nicht wusste.

Vor einer Woche hat sie Heda zufällig auf der Straße getroffen, hat sie jedoch zunächst gar nicht erkannt. Sie hatte nur zwei Frauen mit Kinderwägen neben einer Bank stehen gesehen. Als sie näher kam, erkannte Sarema die langen Röcke und die ins Haar gebundenen dünnen Kopftücher und natürlich auch die Sprache. Und da hat sie auf Tschetschenisch gegrüßt, die eine Frau hat sich umgedreht – und es war Heda.

Heda war früher eine sehr schöne junge Frau gewesen. Sarema erinnert sich noch an die Hochzeit dieses Cousins, bei der sie Heda das erste Mal begegnet war. Die hatte richtig gestrahlt, und alle Männer sahen ihr nach, wenn sie über den Hof ging. Später wurde erzählt, dass sie einer entführt habe, sie sich aber weigerte, ihn zu heiraten, weshalb es im Dorf einen großen Skandal gegeben habe. Und dann habe Heda einen anderen Mann aus dem Dorf geheiratet, und der verschmähte Entführer sei weggezogen, um der Schande zu entgehen, habe ihrer Familie aber Rache geschworen. Aber das sind alte Geschichten.

Jetzt in Wien ist von Hedas Schönheit nur mehr wenig zu sehen. Sie hat tiefe Falten um den Mund, ihr einst glänzendes schwarzes Haar ist matt und hängt in Strähnen unter dem Tuch hervor. Sie sei gerade noch mit dem Leben und ihren drei Kindern aus Samaschki herausgekommen, bevor das große Morden begonnen hat, sagt sie so ganz nebenbei, nachdem sie Sarema begrüßt hat. Ihren Mann hat sie nie wieder gesehen. Hierher sei sie mithilfe von Verwandten gekommen, ihre jüngeren Zwillingsbrüder seien auch hier, bei denen lebe sie mit den Kindern.

Vor Kurzem habe sie mit ihrer Cousine telefoniert, die in der Nähe von Grosny lebe, weil der Bruder eines Onkels zurückgeschickt worden sei. Den hätten sie kurz nach seiner Rückkehr ins Dorf aus dem Haus gezerrt, fast totgeschlagen und in einen Straßengraben geworfen.

Wer weggegangen sei, gelte als Vaterlandsverräter, hat Heda auch gesagt. Und da machten »die« auch vor Frauen und Kindern nicht halt. Sie kenne mehrere Frauen, die völlig mittellos mit ihren Kindern irgendwo säßen und weder vor noch zurück könnten, nachdem man sie hier aus dem Land geworfen habe. Sie hätten weder Wohnung noch Papiere, Arbeit würde ihnen niemand geben und ihre Männer seien endgültig verschwunden. Als gehörten sie alle einem verdammten Volk an, das keiner haben wolle. Denn im Rest Russlands sei es für die, die man zurückschicke, auch nicht sicherer. Die Cousine sage, dort werde man auf der Arbeits- oder Wohnungssuche auch gleich abgewiesen, wenn man einen Ausweis zeige, in dem als Geburtsort Grosny oder auch Schatoi eingetragen sei, oder wenn sich sonstwie herausstelle, dass man aus dem Kaukasus stammt.

»Uns will keiner«, hatte Heda bitter gesagt und Sarema dann lange umarmt. »Versuch hier zu bleiben, dort, zu Hause, gibt's kein Leben mehr.«

»Zu Hause?«, hat Sarema gefragt. Wo das wohl ist, hat sie sich später selbst gefragt und plötzlich bemerkt, dass sie seit Tagen ununterbrochen die Zähne zusammenbeißt, sodass ihr nicht nur der Kiefer, sondern der ganze Kopf ständig wehtut. Wohin soll sie gehen, wenn man sie hier nicht bleiben lässt? Dorthin, wo ihr täglich der Mann begegnen kann? Dorthin, wo man sie vielleicht genauso holen kommt wie damals Lisa?

Ist hier zu Hause? Wo die Leute sie misstrauisch anschauen, wenn sie mit Schamil einkaufen geht? Wo Männer sie in der Straßenbahn belästigen und niemand wissen will, warum sie hierhergekommen ist, nicht einmal Frau Emma?

Im Heim wird viel davon geredet, rechtzeitig unterzutauchen, bevor man abgeholt wird. »Wo?«, fragt Sarema und bekommt nur Kopfschütteln und Schulterzucken zur Antwort. Das müsse jeder für sich alleine organisieren, sagt man ihr. Je weniger Leute etwas davon wüssten, umso größer werde die Wahrscheinlichkeit, dass man sie nicht finde. Sie solle sich eben umschauen. Aber sie habe noch Zeit, schließlich habe sie ja den Brief noch nicht bekommen.

Welchen Brief? Den, in dem steht, an welchem Tag man sie abholt, um sie zurückzuschicken. Aber wenn der einmal da sei, sei es zu spät, sagen wiederum die Informierten im Heim. Jetzt, solange noch alles in der Schwebe ist, müsse sie sich einen Unterschlupf suchen. Denn dass man ihren Asylantrag ablehnen und sie zurückschicken werde, sei so gut wie sicher, in jüngster Zeit hätte man sogar solche zurückgeschickt, die lange vor ihr mitten im Krieg gekommen seien und schon »positiv« gehabt hätten. Sie solle sich also darauf einstellen und die entsprechenden Vorkehrungen treffen. Sagen die Erfahrenen im Heim, die, die das schon miterlebt haben.

Welche Vorkehrungen? Sarema fühlt sich so hilflos wie bei ihrer Suche nach Lisa. Niemand ist da, der sie wirklich beraten könnte, die im Heim reden viel, können aber auch nicht helfen. Die meisten haben selbst Angst, manche sogar noch größere als sie. Und Schamil … Der ist so glücklich in der Schule, erzählt von Freunden und Lehrern, lernt gut und gerne und lacht wieder. Er hat auch rote Backen bekommen und ein paar Kilo mehr auf den Knochen. Zum ersten Mal, seit er auf der Welt ist, sieht er aus wie ein gesundes, zufriedenes Kind, auch wenn das Heim nicht die richtige Umgebung für ihn ist.

»Du bist doch jeden Tag irgendwo«, sagt Saira, »frag doch dort!« Sarema hat niemandem gesagt, wo sie jeden Tag hingeht, und keiner hat sie gefragt. Wahrscheinlich glauben die anderen, sie arbeite irgendwo schwarz, und wollen gar nicht mehr wissen. Was man nicht weiß, kann man nicht verraten. Dabei geht sie ja zu Frau Emma, um nicht untätig im Heim herumsitzen zu müssen. Aber nicht einmal das kann sie erzählen – irgendwer würde es sicher weitererzählen und vielleicht würde man es ihr dann auch verbieten, denn eigentlich soll man ja nicht arbeiten und niemanden treffen, der nicht ins Heim gehört. So jedenfalls hat Sarema es verstanden, als sie hier ankam und man ihr ihre Pflichten erklärte. Deshalb redet sie nicht über Frau Emma und behauptet immer, dass sie mit Schamil spazieren war. Schamil weiß, dass er nichts von Frau Emma erzählen darf. Er ist so vernünftig, so klug, so verständnisvoll – als wäre er ein erwachsener Mann, dabei ist er doch nur ein zehnjähriger Bub.

Soll sie Frau Emma bitten, sie bei sich aufzunehmen? Kann sie Frau Emma bitten? Würde Frau Emma das tun? Platz wäre in der Wohnung. Ein ganzes Zimmer wird nicht benutzt, das Zimmer vom Herrn Hans. Frau Emma trägt ihr immer auf, dort sauber zu machen und das Bett zu beziehen für den Fall, dass der Herr Hans oder Luzie einmal dort schlafen wollen. Würde Frau Emma sie und Schamil dort wohnen lassen? Und wenn sie behauptet, dass sie aus dem Heim wegmüsse, weil es dort für Schamil schlecht sei – schlechte Menschen, die schlecht reden? Dass sie dann illegal hier wäre, dürfte sie Frau Emma sicher nicht sagen. Aber kann sie sie so betrügen? Gerät Frau Emma dann nicht in Gefahr? Kann sie ihr das zumuten? Wo sie doch eigentlich so nett ist zu ihr und Schamil?

Inzwischen wird es langsam Winter und Schamil braucht eine neue warme Jacke. Im Heim sagen sie, es gebe Spenden, sie solle morgen Nachmittag zum Heimleiter kommen, da werde sich schon was finden für den Buben. Und tatsächlich findet sie am nächsten Tag unter den Bergen verschiedener, zum Teil ziemlich zerschlissener Kleidungsstücke, eine wirklich gute warme Jacke. Sie ist Schamil ein bisschen zu groß, aber Sarema krempelt die zu langen Ärmel auf, und dann sieht Schamil ganz manierlich aus.

Als er aus der Schule kommt, zeigt er die Jacke stolz Frau Emma und die schüttelt missbilligend den Kopf und wühlt dann im Kasten im Vorzimmer. Und zieht eine kleinere Jacke heraus, die allerdings hellblau ist. Die Jacke habe einmal ihr selbst gehört, sagt Frau Emma, aber sie brauche sie nicht mehr, und Schamil werde sie sicher besser passen als die große schwarze, die er jetzt trägt. Sarema weiß nicht, was sie sagen soll. Sie kann ihrem Sohn doch keine Frauenjacke anziehen. Schamil schaut zu Boden und sagt nichts.

»Na«, sagt Frau Emma, »willst sie nicht probieren, Burschi?«

Schamil schaut immer noch zu Boden und dann hilfesuchend zu Sarema.

»Danke«, sagt Sarema, »so schöne Jacke, zu gut für Bub!«

»Aber nein«, sagt Emma, »er kann sie ruhig haben, ich wollt sie eh schon herschenken, also kann er sie doch anziehen!«

Schamil stehen die Tränen in den Augen, als er sich in die hellblaue Damenjacke zwängt. Das sieht sogar Frau Emma, die ihn fragt, was er denn habe.

Und dann nimmt sich Sarema ein Herz und sagt: »Frauenjacke – nicht gut für Bub. In Schule nicht gut!«

Frau Emma presst die Lippen aufeinander, hängt die Jacke zurück in den Schrank und sagt nichts mehr.

Und Sarema wagt es nicht, sie nach dem Zimmer zu fragen, und entschuldigt sich den ganzen restlichen Tag dafür, dass Schamil die Jacke nicht wollte. Bis Frau Emma ungeduldig sagt, es sei schon gut. »Wer nicht will, der hat eben schon …«

Was Sarema nicht versteht. Aber sie versteht, dass sie Frau Emma gekränkt haben. Und deshalb bringt sie ihr am nächsten Tag einen kleinen Blumenstrauß mit, für den sie sich Geld von Saira borgen musste, weil sie selbst kaum noch welches hat. Aber sie kann nicht riskieren, dass Frau Emma sie jetzt wegschickt, jetzt, wo jeden Tag die Ablehnung und die Ausweisung kommen können und sie doch Hilfe braucht. Auch wenn sie nicht weiß, ob Frau Emma ihr helfen wird.

Am nächsten Abend, schon im Mantel, kurz bevor sie ins Heim zurückgehen, fasst Sarema sich dann ein Herz. In der Früh ist der junge Mann, der ihr anfangs geholfen hat, ins Heim gekommen und hat ihr mitgeteilt, dass es nicht gut aussehe, sie solle sich darauf gefasst machen, dass man sie in den nächsten Wochen wegschicken werde. Ob sie irgendwohin könne oder vielleicht weiterreisen wolle, bevor man sie holen komme?

Aber Sarema kann nirgends hin und weiß nicht, wohin sie weiterziehen sollte. Es gibt niemanden, zu dem sie flüchten könnte, sie hat nie versucht, einen neuen Plan zu machen, es war ihr schon unmöglich gewesen, die erste Flucht alleine zu organisieren. Wäre Sulima nicht gewesen, sie und Schamil wären nicht weggegangen und jetzt vielleicht schon tot. So wie Lisa wahrscheinlich tot ist und Aslambek. Beim Gedanken an die beiden wird Sarema übel und sie hat kurze Zeit das Gefühl, sich übergeben zu müssen.

Also nimmt sie all ihren Mut zusammen und stellt sich vor Frau Emma hin, die im Wohnzimmer vor dem Fernseher sitzt und stickt.

»Na, was ist?«, fragt Frau Emma gereizt – und Sarema weiß in diesem Augenblick, dass sie hier keine Hilfe zu erwarten hat, aber sie muss fragen, einen anderen Ausweg hat sie nicht.

»Zimmer von Herrn Hans«, stammelt sie.

»Was ist damit?«, fragt Frau Emma immer noch gereizt.

»Schamil und ich …«

»Ja?«

»Schlafen, hier?«

Frau Emma schaut sie an, verständnislos.

»Warum willst denn da schlafen, ist ja viel zu klein für zwei …«

»Groß, groß, wir nicht größer brauchen …«

»Heute?«

»Und morgen – und nächste Tage …«

»Du willst bei mir einziehen?«

Sarema versteht nicht, was das heißt, aber sie versteht, dass Frau Emma ihr das Zimmer nicht überlassen will.

»Na ja«, sagt Frau Emma, »das geht nicht, weil …«

»Ja«, sagt Sarema, senkt den Kopf und geht zur Tür, wo Schamil auf sie wartet.

Wenn er das Gespräch nur nicht gehört hat. Er hat sein Lesebuch aus der Tasche gezogen, als sie ihm gesagt hat, dass sie Frau Emma noch etwas fragen müsse, und sich auf die Bank im Vorzimmer gesetzt, wo sich Frau Emma immer die Schuhe aus- und anzieht. Er ist ganz in das Buch vertieft und sieht die Tränen in Saremas Augen nicht. Und gehört hat er sicher auch nichts, denn bevor sie Frau Emma gefragt hat, hat Sarema ja die Türe zum Wohnzimmer zugemacht.

Entscheidungen

Emma ist wütend. Sarema hat sie einfach überrumpelt. Und jetzt ist sie mitsamt dem Buben verschwunden. Emma findet das unmöglich. Erst dauernd herkommen und ihr schmeicheln und dann sang- und klanglos verschwinden, ohne ein Wort zu sagen ...

Na gut, sie hat ihr das Zimmer nicht geben wollen.

Oder besser, sie hat sich noch nicht entschieden gehabt, ob sie es ihr geben will. Schließlich ist das ja nicht so einfach.

Fremde Menschen in der Wohnung.

Das Badezimmer mit ihnen teilen, die Küche, das Klo.

Nein, das geht nicht. Außerdem braucht sie das Zimmer. Was ist, wenn die Luzie einmal bei ihr wohnen will oder später das Zwetschkerl – der Georg Tarik ...

Aber so benimmt man sich doch nicht. Man sagt doch Bescheid, wenn man plötzlich nicht mehr kommt. Und außerdem kann man doch nicht einfach abhauen, bloß weil man einmal nicht kriegt, was man will.

Soll sie dem Hansi von ihrer Enttäuschung erzählen? Ob der sie versteht? Seit er mit der Emine zusammen ist, ist er ganz komisch geworden. Wäre er noch mit der Gisela verheiratet, hätte er ihr sicher recht gegeben. Und außerdem war die Emine ja ohnehin immer gegen die Sarema. Ob sie vielleicht doch recht gehabt hat mit ihrem Misstrauen?

Und der Gipfel der Frechheit ist, dass sie doch für morgen fest mit der Sarema gerechnet hat, weil sie die Traude und den Onkel Franz zum Abendessen eingeladen hat. Die kann was erleben, die Sarema, wenn sie wieder auftaucht. Andererseits ist es vielleicht besser, wenn sie morgen Abend nicht da ist, da muss Emma wenigstens nicht mit der Traude und dem Franz lang und breit diskutieren, wen sie da bei sich hat und warum.

Das Hansi-Zimmer gibt sie ihr jetzt sicher nicht mehr: Mit einer, die so unzuverlässig und undankbar ist und nicht einmal anruft, wenn sie nicht kommen kann, will sie nicht zusammenwohnen.

Sie wird das mit dem Hansi besprechen, später. Jetzt muss sie einmal überlegen, was sie für die Traude und den Franz kochen soll. Sie wird einen Tafelspitz machen, da hat sie gleich auch eine Suppe, das isst der Onkel Franz so gern. Die Sarema kann ihr helfen, den Kren zu reiben und das Gemüse zu schneiden. Aber zuerst müssen sie noch einkaufen gehen. Wenn die Sarema morgen überhaupt wieder auftaucht, was man ja bei so jemandem gar nicht wissen kann. Der wird sie einen ordentlichen Krach machen, wenn sie kommt.

Einkaufen und kochen musste sie dann ganz alleine, die Sarema ist nämlich auch am nächsten Tag nicht gekommen. Und der Abend war dann überhaupt schrecklich, denn die Traude und der Franz haben sie die ganze Zeit nur nach Emine und dem Zwetschkerl ausgefragt, sodass sie ganz zornig geworden ist. Was wollen die denn von ihr? Das Türkenkind hat ihnen natürlich nicht gefallen und das mit der Nicht-Hochzeit auch nicht. Aber als die Traude so von oben herab gesagt hat, dass sie bei ihren Kindern solche Sachen nicht hat einreißen lassen, da hat sich Emma so sehr geärgert, dass sie sich gleich revanchiert hat. Sie hat der Traude ziemlich direkt gesagt, dass ihr Franzi-Bub ein stadtbekannter Säufer ist und immer noch Geld von der Mama nimmt und ihre Marlene zwei uneheliche Kinder von zwei verschiedenen Männern hat und sie überhaupt kein Recht hat, über den Hansi herzuziehen. Danach hat's auch nicht mehr viel geholfen, dass der Onkel Franz von seiner letzten Reise nach Tschechien erzählt hat und davon, wie billig dort die Lebensmittel sind. Die zwei sind dann sehr bald gegangen und Emma war froh, dass sie weg waren. Und hat den Hansi angerufen und zu sich bestellt.

Und jetzt sind alle gegen sie. Denn der Hansi ist gekommen, und statt Verständnis für sie zu haben, hat er ihr eine Moralpredigt gehalten, die sich gewaschen hat. Dass er versteht, wenn die Sarema nicht mehr kommt, wo sie sich doch so rührend um Emma gekümmert hat, als sie den Unfall gehabt hat. Und dass er eigentlich schon längst mit ihr darüber reden wollte, dass sie der Sarema etwas zahlen soll für ihre Arbeit. Und dass sie sie selbstverständlich bei sich wohnen lassen soll, weil das in dem Heim sicher schrecklich sei und sie den Buben doch ohnehin gernhat und sonst so allein ist. Am Schluss hat sie gesagt, er soll nach Hause gehen, sie sei müde und wolle schlafen.

Seither grübelt sie vor sich hin. Irgendwie hat der Hansi auch ein bisserl recht. Einsam ist sie manchmal wirklich, aber meistens ist sie eigentlich ganz gern allein. Und wenn die da wohnen, kann sie vielleicht nicht mehr am Abend im Pyjama vor dem Fernseher sitzen und ihre Lieblingsserien anschauen. Und dann müsste sie auch mit ihnen reden und sich dauernd diese schrecklichen Geschichten von der Sarema anhören. Sie wär einfach nicht mehr so frei in ihrer eigenen Wohnung.

Aber andererseits wär's schon fein, jemanden dazuhaben. Und den Bub mag sie wirklich sehr, der ist so aufgeweckt, dass es eine Freude ist. Und sie kann ihm so viel erzählen und überhaupt …

Soll sie oder soll sie nicht? Die Sarema hat das jedenfalls nie mehr erwähnt. Sehr still war sie in letzter Zeit, das ist ihr schon aufgefallen. Still und blass. Und der Bub war auch ein bisserl bedrückt. Wahrscheinlich liegt es an dem schrecklichen Heim, oder er hat wieder Ärger in der Schule ...

Vielleicht sollte sie sie doch dort rausholen? Es muss ja nicht für immer sein. Sie kann ja sagen, sie könnten einen Monat bei ihr wohnen, und dann muss die Sarema was anderes finden. Und sollte es Emma gefallen, kann sie sie ja auch länger dabehalten. So wird sie das machen, denkt Emma und geht zufrieden schlafen.

Sarema kommt auch am nächsten Tag nicht und Emmas Zufriedenheit verfliegt. Sie wird immer zorniger, auch weil ihr einfällt, dass Schamil ja heute ein Deutsch-Diktat hat und sie nicht mehr mit ihm hat üben können. Jetzt hat sie dem Buben so viel geholfen in der Schule und war so nett zu den beiden, und dann bleiben die plötzlich einfach weg, ohne was zu sagen? Undankbares Gesindel, denkt Emma.

Sie ruft bei Hansi an, doch Emine nimmt das Telefon ab und meint, sie solle ins Heim gehen und dort nachfragen. In das Flüchtlingsheim? Eigentlich mag sie das nicht. Was soll sie dort? Sie kennt sich ja auch nicht aus in solchen Einrichtungen, wen fragt man da? Und da laufen sicher nur Ausländer rum, die nicht Deutsch können und sie nicht verstehen, womöglich sind da sogar welche dabei, die aggressiv werden.

Aber dann entschließt sie sich doch.

Sie zieht einen dunkelblauen Rock und eine dunkelblaue Jacke an und ihren Kamelhaarmantel, in dem sie so distinguiert ausschaut, und bindet sich das blau-weiß gemusterte Seidentuch um, weil's draußen trüb ist und nieselt. Dann nimmt sie die schwarze Handtasche, die ihr der Hansi zum letzten Geburtstag geschenkt hat und die ihr bisher immer zu schade war. Aber sie will elegant ausschauen, wenn sie in dieses Heim geht, so fühlt sie sich sicherer.

Sie war ja auch noch nie dort. Sarema ist immer zu ihr gekommen. Ganz wohl ist ihr nicht, als sie sich auf den Weg macht. Aber gleichzeitig will sie doch wissen, was los ist.

Das Heim sieht von außen wie eine Schule aus. Vielleicht war das sogar einmal eine Schule, denkt Emma und stößt entschieden die schwere Eingangstüre auf.

Im dunklen Korridor kommt ihr eine junge schwarze Frau entgegen. Sie hat viele Zöpfchen, trägt einen knallrosa Pullover und hat ein gestreiftes Tuch umgebunden, aus dem Emma ein Baby hervorlugen sieht. Emma zögert, dann fragt sie lauter als notwendig, wo sie den Heimleiter finden könne.

»Sie wollen zum Franz?«, fragt die junge Frau in einwandfreiem Deutsch und zeigt auf die Türe rechts von Emma.

Emma klopft an und macht die Türe auf. Das Zimmer ist nicht besonders groß und fast zur Gänze von einem Schreibtisch ausgefüllt, auf dem sehr viel Papier liegt. Dahinter sitzt ein junger Mann in Jeans und Pullover. So hat sie sich einen Heimleiter nicht vorgestellt, denkt Emma ziemlich ungehalten. Aber da hier sonst keiner ist, muss sie wohl mit diesem jungen Spund reden.

Sie steht vor dem Schreibtisch und fühlt sich unwohl. Der junge Mann im Pullover telefoniert und deutet dabei mit der Hand auf den Sessel, der vor dem Schreibtisch steht. Emma zieht ihr Seidentuch vom Kopf und knöpft den Mantel auf. Dann schaut sie den Sessel an, wischt mit dem Handschuh darüber und setzt sich vorsichtig drauf. Der Sessel sieht ziemlich wackelig aus, bricht aber erstaunlicherweise nicht unter ihr zusammen.

»Ich weiß«, sagt der junge Mann ins Telefon. »Aber wir sind überbelegt. Ich kann heute nur zwei noch aufnehmen. Versuch's bei der Ute Bock. Ja, natürlich weiß ich das, aber was soll ich denn machen. Den Platz für zwei haben wir ja auch nur, weil sie uns schon wieder ein paar weggeholt haben. Es ist immer das Gleiche. Nein, ich kann dir wirklich nicht helfen, wie gesagt, versuch's bei der Ute Bock. Die weiß meistens einen Ausweg. Uns sind ja hier leider die Hände gebunden ...«

Dann legt er auf und seufzt tief, legt das Telefon weg und nimmt einen tiefen Schluck aus einem schmuddeligen Kaffeehäferl. Er schaut Emma ratlos an und fragt, was sie von ihm wolle und ob er ihr einen Kaffee anbieten könne.

Nein, denkt Emma, aus so einem Häferl will sie nicht trinken, und lehnt höflich ab. Sie suche eine Frau und ein Kind, sagt sie dann. Sie kenne nur die Vornamen, er verstehe das sicher, diese ausländischen Namen seien so kompliziert, die merke man sich nicht so leicht.

Der junge Mann nickt verständnisvoll, dann geht die Türe auf und die junge schwarze Frau mit dem Baby kommt herein und sagt: »Franz, die Lidia braucht dringend einen Arzt. Und ich muss jetzt nach Hause – die Puppe ist schon sehr hungrig.« Sie lacht auf das Baby an ihrem Bauch hinunter, das gar nicht gut gelaunt ist und eine ziemliche Schnute zieht.

»Süße, das geht natürlich nicht, dass die Puppe hungert, da musst du gleich nach Haus, ich kümmere mich um die Lidia«, sagt der junge Mann, steht auf, küsst die Frau fest auf den Mund und streichelt dem schlecht gelaunten Baby über den Kopf. »Meine Tochter«, sagt er dann entschuldigend zu Emma und läuft aus dem Zimmer.

Na, das sind Zustände, denkt Emma. Der soll hier der Heimleiter sein? Schönes Durcheinander ist das, kein Wunder, dass die Sarema da weg wollte. Und wo bleibt der Kerl jetzt?

Sie kann ja nicht einfach schauen gehen, ob sie die zwei findet? Unmöglich ist das.

Nach zehn langen Minuten kommt der Heimleiter zurück und entschuldigt sich ausführlich. Eine junge schwangere Tschetschenin habe im fünften Monat Wehen bekommen und er habe sich darum kümmern müssen, dass sie jemand ins Spital bringe – jemand, der Russisch könne, damit die junge Frau nicht wieder weggeschickt werde. Das sei gestern nämlich passiert und das gehe ja wirklich nicht …

Emma ist ganz schwindlig von dem Redeschwall, und als der junge Mann noch einen kräftigen Schluck Kaffee getrunken hat, fragt sie noch einmal nach. Sarema und Schamil hießen die beiden, der Bub gehe in die Volksschule gleich um die Ecke. Aus Tschetschenien seien sie, aber die Familiennamen, die wisse sie eben nicht. Sie suche sie, weil sie seit ein paar Tagen nicht mehr bei ihr gewesen seien.

Der Heimleiter Franz schaut Emma genau ins Gesicht und sagt dann leise, dass da leider nichts mehr zu machen sei.

»Die sind vor vier Tagen abgeholt worden. Die waren in dem Flugzeug, mit dem heute noch fünf andere Tschetschenen nach Russland zurückgeschickt worden sind. Wir haben versucht zu helfen, aber es war nicht möglich. Die Fremdenpolizei hat sie geholt. Ihr Asylantrag ist abgelehnt worden, man hat nicht geglaubt, dass sie in Gefahr sind. Sarema Kurbanowa und Schamil Issaew. Die Frau hat zwar gesagt, dass ihr Mann umgekommen sei und ihre Schwester verschleppt wurde – aber das reicht eben nicht aus. Sie hat keine Papiere gehabt und nichts beweisen können. Und jetzt sind sie wahrscheinlich schon wieder in Grosny. Hat sie Ihnen nie erzählt von ihren Problemen?«

Nein, denkt Emma, nein, nie hat sie was erzählt. Weg sind sie also? Ganz weg? Und was ist jetzt mit ihr?

Langsam steht sie auf, bindet sich ordentlich und gründlich ihr Seidentuch um, sagt höflich Auf Wiedersehen und geht. Und denkt. Illegal waren die, hat dieser Herr Franz gesagt. Und jeden Tag waren sie bei ihr. Im Fernsehen hat sie immer wieder was gehört über Leute, die gar nicht da sein dürften und sich hier verstecken. Hat sich Sarema bei ihr versteckt? Aber sie ist doch einkaufen gegangen und der Bub war in der Schule …

Man hat ihr nicht geglaubt, hat dieser Herr Franz auch gesagt. Wer weiß, was sie sich ausgedacht hat, nur damit sie da bleiben können. Es wird ja so viel geredet über Leute, die sich hier nur ins gemachte Bett legen wollen und so tun, als ob sie in Gefahr wären. In der Zeitung hat sie auch immer wieder darüber gelesen. Sie hat nur nicht gedacht, dass die Sarema so eine ist.

Zu Hause hängt sie den Mantel ordentlich an die Garderobe, legt das Tuch zusammen, stellt die Schuhe auf die Abtropfmatte, zieht Rock und Jacke aus und hängt sie zurück in den Kasten. Dann wickelt sie sich in den Flanellschlafrock, den der Hansi und die Emine ihr zu Weihnachten geschenkt haben. Die Mitzi liegt natürlich wieder auf dem Sofa. Na, soll sie eben. Emma setzt sich neben sie und streichelt sie am Kopf. Ein bisschen einsam ist ihr schon zumute.

Weg sind sie jetzt also. Schon schade, sie hat sich an die beiden gewöhnt gehabt. Vor allem an den Buben. Sie hätte sie sogar eine Zeit lang bei sich wohnen lassen. Aber vielleicht ist es auch besser so, wer weiß, was da alles hätte passieren können. Da besteht jetzt wenigstens keine Gefahr mehr.

Kann man nichts machen, Gesetz ist Gesetz – und wenn es Gesetz ist, dass die Sarema und der Schamil nicht da bleiben dürfen, da kann sie, Emma, nun wirklich nichts dagegen tun, nicht wahr?

Sie hat ihn gesehen – den Mann, der weiß, was mit Lisa geschehen ist. Den Mann, der ihr und Schamil gedroht hat. Den Mann, der ihr das angetan hat, wofür sie keine Worte hat. Er ist auf dem Markt an Evas Stand vorbeigegangen, ist kurz stehen geblieben, hat sein grausames Lachen gelacht und zu Eva gesagt, was sie da für eine hübsche neue Aushilfe habe. Und Eva hat kokett zurückgelacht und gesagt, Sarema sei nur eine entfernte Verwandte, die eine Weile weg gewesen sei und jetzt wieder hier Fuß fassen müsse. Na, da wünsche er viel Glück, hat der Mann gesagt und Sarema vielsagend zugenickt.

Sarema fühlt, wie ihr ganzer Körper kalt wird und zu schmerzen beginnt. Seit sie zurück ist, hat sie sich vor dieser Begegnung gefürchtet. Sie hat nicht mehr gewagt, nach Lisa zu suchen oder nach Lisas Mann. Sie hat versucht, so wenig wie möglich auf die Straße zu gehen, sie hat Schamil nur in die Schule gebracht und wieder abgeholt. Doch wenn Eva wollte, dass sie ihr auf dem Markt hilft, musste sie das Haus verlassen und auf den belebten Platz gehen. Sie hat gehofft, dem Mann nicht zu begegnen. Sie hat gehofft, dass er nicht erfahren würde, dass sie zurück sei. Sie hat gegen jede Vernunft gehofft, dass Lisa doch noch auftauchen würde und sie irgendwie hier weiterleben könnte. Sie hat versucht, einen Plan zu machen, aber es gab nichts zu planen. Sie hat kein Geld, keine männlichen Verwandten, keinen Ort, an den sie flüchten könnte. In Wien hat man ihr nicht geglaubt und sie zurückgeschickt.

Der Mann tauchte danach häufig auf dem Markt auf, meist in Begleitung anderer großer, dicker Männer, die ganz offen

Waffen bei sich trugen. Eva verstand nicht, warum Sarema immer versuchte, sich zu verstecken, wenn sie den Mann mit seiner gefährlichen Begleitung kommen sah. Er sei reich und einflussreich, hat Eva einmal gesagt, und sie, Sarema, gefalle ihm offenbar. Ob das nicht eine Lösung wäre, so alleine als Frau würde sie es ja ohnehin immer schwer haben und Schamil könne auch einen Vater brauchen ...

Sarema sitzt in dem kleinen Zimmerchen neben dem Hof. Schamil hockt auf dem Boden, ein Buch vor sich, und lernt. Oder tut so, als ob er lerne, ihr zuliebe. Was in ihm vorgeht, weiß sie nicht mehr. Er ist ganz still geworden, seit sie wieder hier sind. Still und blass. Wenn Basil ihn anredet, versteckt er sich hinter Saremas Rücken, als wäre er noch ein kleines Kind. Oft sitzt er stundenlang einfach nur so da, auf dem Boden in dem winzigen Zimmerchen.

Sarema hat den Kittel an, den sie auch auf dem Markt unter der Winterjacke trägt, weil Eva erklärt hat, den müsse sie tragen, damit sie aussehe wie eine, die etwas vom Verkaufen versteht.

Ihr warmer Winterrock hat einen Fleck am Saum. Weil sie ihn immer trägt, wenn sie hinausgeht. Weil die Straßen schmutzig und voller Schlamm sind, weil sie, seit sie zurück ist, das Gefühl hat, immer schmutzig zu sein. Sie und ihre Kleider und Schamils Kleider.

Sie taucht einen Stofffetzen in das kleine Emailschüsselchen, in dem sie heißes Wasser aus der Küche geholt hat. Ein bisschen Waschmittel hat sie auch heimlich hineingespritzt. Eva mag es nicht, wenn Sarema für sich ist, alleine in ihrem Zimmerchen. Seit Eva und Basil sich nach dem Tod Sulimas das Haus angeeignet haben, hat Sarema das Gefühl, für alles, was sie benützt, bezahlen zu müssen. Sie hat das heiße Wasser und die paar Spritzer Waschmittel heimlich aus der Küche geholt, weil sie zu müde ist, um Eva lange zu erklären, dass ihr Rock einen großen Schlammfleck am Saum hat, dass sie so nicht auf die Straße gehen will, dass sie ihre Kleidung säubern muss – auch wenn heute nicht Waschtag ist.

Seit damals, seit sie sich die Haut bis aufs Blut aufgescheuert hat, um den Geruch des Mannes vom Leib zu kratzen, kann sie das Häuschen im Hof nicht mehr betreten, die Banja, in der sie ihre zerfetzte Wäsche verbrannt und sich selbst fast zu Tode geschrubbt hat. Eva schimpft immer wieder, weil sie ihre und Schamils Kleider in dem Zimmerchen wäscht, mühsam, in einer Ecke, aber das ist Sarema egal.

Als sie den Rock in die Hand nimmt und an dem Schlammfleck zu reiben beginnt, spürt sie etwas Hartes. Im Saum des Rockes ist eine Art Klumpen. Sarema nimmt die kleine Schere aus ihrer Tasche und trennt den Saum auf.

Sulima muss das getan haben, kurz bevor sie aufgebrochen sind. Damals, als Sarema dachte, sie würden in Sicherheit sein, sobald sie Tschetschenien verlassen hatten. Sulima, die Vorausschauende. Sulima, die Großzügige, die sie und Schamil aufgenommen und ihr all jene ersetzt hatte, die ihr die Kriege genommen haben.

Sarema starrt auf die Goldkette, den Ohrschmuck und die Ringe. Sulima hat sie eingenäht für den Notfall – und es ihr nicht gesagt. Damals hätte Sarema dieses letzte Geschenk auch nicht angenommen. Und in Wien war sie zu versunken in ihre Trauer gewesen und zu beschäftigt, sich in der Fremde zurechtzufinden, um sich zu wundern, dass der Rock seltsam schwer an ihr hing. Schwerer als ihre anderen Kleidungsstücke.

Und jetzt starrt sie auf Sulimas Schmuck, der so lange im Rocksaum geschlafen hat, und weiß plötzlich, was sie zu tun hat.

Sie umarmt Schamil, der sie verständnislos ansieht, und zerrt ihre beiden Taschen unter dem Bett hervor. Den Schmuck wickelt sie in den Stofffetzen, den sie sonst zum Waschen benützt, und legt ihn unter ihren Kopfpolster. Dann beginnt sie, das Wichtigste in die beiden Taschen zu stopfen. Viel ist es nicht, was ihr und Schamil gehört. Aber das Wenige verstaut sie. Dann wäscht sie sich und umarmt und küsst ihren Sohn und legt sich schlafen.

»Morgen gehen wir weg«, sagt sie laut, als sie Schamils gleichmäßige Atemzüge hört. »Morgen gehen wir wieder weg!«

Christine Nöstlinger

Glück ist was für Augenblicke
Erinnerungen

Christine Nöstlingers Erinnerungen sind ein Glücksfall:
wahrhaftig und kämpferisch, warmherzig und humorvoll.

Erstaunlich ist die Detailtreue ihrer Erinnerungen: Wie sie
als Kind den Krieg im Bombenkeller überlebt, wie sie ihre
erste Beichte mit einer Lüge beginnt oder wie das Private
politisch ist. (...) Andererseits erstaunt das präzise Gedächtnis
der Christine Nöstlinger auch wieder nicht. Immer hat
sie Kontakt zum widerständigen Kind in sich gehalten,
dem nicht der Mund verboten und das nicht
zurechtgebogen wurde.
(ORF, Kulturmontag)

autorinresidenz